LA FILEUSE DE RÊVES

Bonnie Dobkin

Traduit de l'américain
par Renée Thivierge

Ce livre est une oeuvre de fiction. Les noms, les personnages, les lieux et les événements ont été imaginés par l'auteure. Toute ressemblance à des faits, des endroits ou des personnes, décédées ou vivantes, n'est que pure coïncidence.

Éditeur : François Doucet
Traduction : Renée Thivierge
Révision linguistique : Willy Demoucelle
Révision : Nancy Coulombe
Mise en page : Sébastien Michaud
Montage de la couverture : Nancy Lizotte
Illustration de la couverture : © Photodisc
ISBN : 978-2-89565-511-4
Première impression : 2007
Dépôt légal : 2007
Bibliothèque et Archives nationales du Québec
Bibliothèque Nationale du Canada

Éditions AdA Inc.
1385, boul. Lionel-Boulet
Varennes, Québec, Canada, J3X 1P7
Téléphone : 450-929-0296
Télécopieur : 450-929-0220
www.ada-inc.com
info@ada-inc.com

Diffusion
Canada : Éditions AdA Inc.
France : D.G. Diffusion
ZI de Bogues
31750 Escalquens France
Téléphone : 05.61.00.09.99
Suisse : Transat - 23.42.77.40
Belgique : D.G. Diffusion - 05.61.00.09.99

Imprimé au Canada

Participation de la SODEC. SODEC
Nous reconnaissons l'aide financière du gouvernement du Canada par l'entremise du Programme d'aide au développement de l'industrie de l'édition (PADIÉ) pour nos activités d'édition.
Gouvernement du Québec - Programme de crédit d'impôt pour l'édition de livres - Gestion SODEC.

Catalogage avant publication de Bibliothèque et Archives Canada

Dobkin, Bonnie

La fileuse de rêves : roman
Traduction de : Dream spinner.
ISBN 978-2-89565-511-4
I. Thivierge, Renée, 1942- . II. Titre.

PS3554.O24D7314 2007 813'.54 C2006-942018-1

Aux hommes de ma vie –

Kevin, Michael, Bryan,

et Jeff, mon ours merveilleux.

Et pour mes parents.

Remerciements

Merci à tous ceux qui m'ont poussée et secouée, encouragée et applaudie :

Ma merveilleuse agente, Erin Murphy, qui a pris un risque sur une enfant de Chicago qui s'est aventurée dans l'écriture.

À tous les gens chez Flux — Andrew, Rhiannon, Steffani et Kevin — qui ont transformé une pile de feuilles en un livre.

Mes nièces et mes neveux qui sont en même temps mes plus grands admirateurs — Ethan, Morgan, Eli, Spencer, Adam, Stacey, Alex et Samantha.

Mes frères, Allen et Phil — juste parce que je les aime — et mes « soeurs », Laura, Kim, et Beth.

Mes premiers critiques, Alex King et Stephanie Axelson, et leur professeur, Gary Puhy.

Iya Ta'Shia et la bande du Mad House pour m'avoir fait revenir au travail.

June, pour la paix d'esprit, au moment où je réfléchissais sur ma vie, et le Group, pour avoir été toujours présents.

Margaret K. McElderry et Robert Brown, pour leur sagesse tout le long du chemin.

Et Jori B., pour le prénom

PROLOGUE

Comme si elle avait honte qu'on la voie, la vieille maison était tapie dans un lot envahi par les herbes. Des bardeaux tordus restaient attachés à son toit en contrebas. À l'étage, les fenêtres obscurcies fixaient les ruines d'un jardin depuis déjà longtemps en décrépitude.

Une ombre bougea derrière l'une de ces fenêtres.

Un homme d'allure sombre aux yeux brûlants s'appuya contre le rebord, regardant avidement, alors que les ombres élancées de la fin de l'après-midi se glissaient à travers la pelouse aplatie et recouvraient les dernières touches de lumière.

« Il fera bientôt sombre », murmura-t-il, sa langue claquant délicatement sur ses lèvres. Il éleva légèrement la voix. « Tout est prêt, je présume. »

Il y avait un soupçon de réconfort dans sa voix. Un sourire déforma le visage de l'homme sombre, et il recommença à regarder par la fenêtre.

« Viens », murmura-t-il. « J'attends. »

UN
LE DÉTOUR

L'œil au beurre noir était loin d'être suffisant, pensa Jori. Elle aurait dû écraser Marisa et lui arracher chaque mèche de ses longs cheveux, une poignée à la fois. Ou lui enlever son nouvel anneau nombril orné de pierres précieuses — de la manière forte. Ou peut-être, pensa-t-elle, tâtant distraitement de ses doigts les vilaines cicatrices sur son bras droit, peut-être aurait-elle pu engager l'un des troglodytes de l'école pour l'enfermer dans une benne à ordures et l'oublier pour une journée ou deux, juste assez longtemps pour que les rats la grignotent et la rendent folle.

Jori fit un petit sourire, ajoutant cette image au cabinet d'horreurs qu'elle concoctait à l'intention exclusive de Marisa. Après tant de mois de planification, le cabinet était assez bien organisé. Mais alors, rien n'était trop beau pour son ancienne meilleure amie.

Dommage qu'il n'ait jamais été possible de rendre la chose opérationnelle. De plus, Marisa avait déjà pu masquer l'ecchymose sous son œil, simplement avec une légère touche de maquillage. Et son groupe de parasites qui l'adoraient faisait toute une histoire à propos de leur meneuse blessée, se battant pour savoir qui lui apporterait son lunch à la cafétéria ou qui aurait l'honneur de transporter son sac à dos à travers les couloirs. De son côté, Jori, elle, subissait encore une détention de dix jours. Et on n'en était qu'au sixième jour.

Injuste. Totalement, affreusement, injuste.

Elle sursauta au moment où quelqu'un frôlait sa manche.

« Psst… Jori. »

« Va-t-en. »

Newt McAllister, le débile de l'école, avait replié son long corps dans la rangée à côté d'elle. Il regardait anxieusement vers le bureau balafré de métal en avant de la pièce, la tour de contrôle à partir de laquelle M. Alvarez, atteint de calvitie naissante, régnait sur la chambre des détenus. Le petit homme donnait l'impression d'être dans le coma, ses yeux était à demi fermés, et sa tête penchée vers l'arrière.

« D'accord », murmura-t-il. « C'est le temps de ficher le camp d'ici. Tu es avec moi, Jori ? »

« Newt, fais-moi une faveur et retourne grimper dans ton arbre avec les autres écureuils. »

« Bien ! C'est bien. C'est préférable qu'Alvarez ne croie pas que nous sommes complices dans ce coup. D'accord. Voici le plan. Dans exactement quatre minutes, tu crées un moment de distraction. Commence à gémir, peut-être, ou à avoir des convulsions. Tu comprends ? »

« Bien sûr. »

« Quand Alvarez viendra voir ce qui ne va pas, je le terrasserai, et tu pourras t'enfuir. » Ses yeux devinrent tragiques. « Quant à moi… si je meurs, je meurs. »

Bien, au moins il est cohérent. D'après ce qu'elle avait entendu, Newt avait un petit problème avec sa perception de la réalité. De fait, il était détenu parce qu'il avait libéré tous les rats du laboratoire de biologie et qu'il avait bondi sur une table en criant « Liberté ! » à pleins poumons. On avait évalué les dommages à près d'un millier de dollars, étant donné que ses camarades de classe s'étaient précipités sur les comptoirs et les chaises pour éviter les rongeurs affranchis.

Et maintenant, ce sauveteur de souris était tapi à côté d'elle, planifiant son évasion de la salle 154.

« Mon seul regret », continua Newt, la regardant mélancoliquement à travers ses longs cheveux blonds sales, « c'est que je ne *te* connaîtrai jamais, ma chère. Je n'explorerai jamais les merveilles de ton esprit, je ne toucherai jamais ton doux… »

« Tu touches quoi que ce soit et je te casse la figure. »

Il était maintenant 16 h 26, pendant ce qui lui semblait être le jour le plus long qu'elle avait passé dans la pièce jusqu'à maintenant. Et selon son opinion, elle ne méritait pas du tout de s'y trouver. Oui, peut-être un ou deux de ses coups de poing étaient entrés en contact avec le visage de Marisa. Mais pas avant que Marisa n'ait livré de vrais coups de knock-out.

Fixant M. Alvarez d'un air absent, Jori repassa dans sa tête la conversation qui avait déclenché sa fureur. Elle avait simplement effleuré Marisa et l'une de ses acolytes nouvellement arrivée, une fillette mince comme une brindille qui espérait entrer dans le cercle intime de son idole.

« Mon dieu, c'est qui, ça ? », haleta la fille, en fixant Jori.

« Personne d'important. »

« Mais qu'est-ce qui est arrivé avec son visage ? Et son bras ? »

« Un accident de voiture. Elle et son père. Les éclats de verre l'ont charcutée. »

« Mon Dieu. Et qu'est-ce qui est arrivé à son père ? » Marisa haussa les épaules. « Crevé dans l'accident. »

La dernière cloche sonna enfin. Attrapant son sac à dos, Jori sortit à toute allure de la salle de détention, et de l'école. Mais juste à l'extérieur de l'entrée, elle fit une pause et leva les yeux pour scruter l'un des coins de l'embrasure de la porte. Elle sourit, devenant moins tendue.

La toile était encore plus large aujourd'hui, captant la douce lueur des lumières de l'entrée dans ses fils délicats. Sa propriétaire – une immense araignée presque incolore que Jori avait remarquée pour la première fois, quelques jours plus tôt – se tenait immobile dans l'obscurité, attendant patiemment que son prochain repas vienne s'égarer dans son filet.

« Félicitations », dit doucement Jori. « C'est très beau. »

« À qui parles-tu ? »

C'était Newt. Jori rougit, son visage presque assorti de la même couleur que ses courts cheveux roux.

« Personne. Rien. » Elle fit une pause. « Une araignée. »

« Une araignée. »

« Ouais. »

« Hum », dit-il s'adressant à l'habitante de la toile. « Et les gens disent que je suis bizarre. »

Jori lui lança un regard furieux, puis remonta son sac à dos plus haut sur ses épaules et descendit les marches en courant. Newt courut pour la rattraper.

« Jori, attends. Je plaisantais. Tu n'es pas bizarre. »

Elle continua de marcher. « Je sais que je ne le suis pas. Je suis juste laide. Une fille laide avec un visage abîmé qui par hasard aime les insectes. »

« Tu n'es pas laide. En ce qui concerne ton attirance pour les petites bestioles... » Il fit une pause. « Bien, cela veut juste dire que tu es probablement capable d'apprendre à aimer d'autres choses étranges et inhabituelles. Comme des salamandres. Ou des Newts. »

« N'y compte pas trop ! »

Elle fit de plus longues enjambées, essayant de mettre le plus de distance possible entre elle et Newt. Mais elle entendait toujours ses pas derrière elle. Après une minute, elle se retourna brusquement.

« C'est quoi *exactement* ton problème ? »

Interloqué, Newt recula, trébuchant sur ses propres pieds. Il tomba sur une pile de feuilles — des feuilles qui masquaient une flaque de boue.

« Berk ! » Il leva les yeux d'un air penaud, puis offrit une de ses mains. « S'il vous plaît, madame », dit-il. « Aideriez-vous un pauvre coquin qui vient juste de tomber pour vous ? »

Jori croisa les bras.

« Bon. Très bien. » Il soupira, se leva péniblement, et commença à essuyer la boue de ses vêtements. Jori le regarda d'un œil critique. Newt était très grand et très mince, un épouvantail de garçon avec une grande bouche, un nez étroit et un long cou ponctué d'une pomme d'Adam démesurée. Il portait des jeans délavés et un veston olive complètement usé qui semblait provenir d'une boutique de vêtements usagés. Ses cheveux hirsutes lui tombaient au milieu des épaules.

« Hé bien ? » demanda Jori. « Pourquoi me suis-tu ? Tu t'entraînes pour devenir un désaxé, ou quelque chose du genre ? »

« Je te suivais », dit Newt, détachant les derrières feuilles salies, « à cause de l'heure d'été. »

« De quoi parles-tu ? »

« De l'heure d'été. Ça a commencé dimanche. Donc, c'est la première fois qu'il fait sombre l'après-midi depuis que nous avons été emprisonnés. J'ai juste pensé que tu voudrais avoir de la compagnie pour rentrer chez toi. »

Jori ne répondit pas. Elle ne s'attendait pas à ce type de réponse. Et, elle devait l'admettre, elle ne s'était jamais sentie très confortable de marcher jusque chez elle le soir. Il y avait trop de silhouettes sombres affalées dans les allées ou qui la regardaient dans les embrasures de portes. En fait, c'était l'un des bruits qui avait couru à l'école après que sa sœur… Arrête ça, se dit-elle à elle-même. Elle regarda Newt d'un air de défi.

« Ne te donne pas cette peine. Je peux prendre soin de moi. »

« Personne n'a dit que tu ne le pouvais pas. De toute façon, ce n'est pas un problème. » Il attendit. « Hé bien ? »

« Fais comme tu veux. »

Elle continua à marcher, Newt à ses côtés, son corps dégingandé s'inclinant légèrement à chaque pas. Après quelques minutes, Jori commença à se sentir inconfortable, redoutant que Newt pourrait soudainement décider d'attaquer un lampadaire ou de parler avec une bouche d'incendie.

« Tu n'es pas obligé de faire ça », souligna-t-elle. « N'y a-t-il personne qui s'inquiète pour savoir où tu es ? »

Il hocha la tête. « Mon père rentre tard presque tous les soirs, et il voyage beaucoup. Un de ces requins de la finance dont on entend parler. Il vit pour piller, dévaliser et détruire les petites entreprises. »

« Et ta mère ? »

« Elle a disparu il y a des années. La chose qu'elle avait épousée ne lui convenait pas. »

« Désolée », marmonna Jori.

Il haussa les épaules. « Donc, de toute façon, les seuls êtres qui m'attendent sont Braveheart, Aragorn, et c'est quoi son nom — Ripley — des vieux films d'*Alien*. Jori fronça un sourcil, et Newt fit un large sourire. « Je regarde beaucoup de vieux films. Ça passe le temps. Puis aussi... C'est une manière de m'éloigner de la réalité pour un moment, tu sais ? »

« De quelle réalité ? »

« De tout »

Jori traita cette information. D'accord, donc la vie de Newt est aussi remplie de connerie. Et à l'école, on le torturait presque autant qu'elle — peut-être plus. Seulement dans son cas, la torture incluait les mots « détraqué » et « gay ». Alors peut-être pouvait-elle se montrer civilisée.

« Je fais la même chose. C'est-à-dire que je fuis. Mais dans mon cas, ce sont les livres. »

« Les livres. Tu veux dire ces choses avec des couvertures et des lettres sur le dessus, et beaucoup de papier à l'intérieur ? »

« Ouais, c'est ça. »

« Wow ! Je ne savais pas qu'il y avait encore des gens qui s'en servaient ? »

Jori esquissa un sourire.

« Alors, où habites-tu ? », demanda-t-elle. « Je ne t'ai jamais vu venir de ce côté. »

« Ouais. C'est que j'habite dans un quartier chic. Le requin de la finance doit sauvegarder les apparences, tu comprends. » Il s'étira les bras, montrant complètement son habit bigarré. « Je le rends fou. »

Jori s'arrêta brusquement, son éclair de bonne volonté disparu. Le type était pas mal riche. Du moins, son père l'était. Et, le quartier chic — un quartier d'immeubles dispendieux récemment « embourgeoisé » — se trouvait dans la direction opposée à son propre quartier. Newt ajoutait presque une heure de marche à son retour à la maison.

« D'accord », dit-elle, qu'est-ce qui se passe ? »

« De quoi parles-tu ? »

« Pourquoi m'accompagnes-tu à la maison ? Tu veux t'encanailler ? Ou tu essaies de prouver quelque chose à tous les cinglés de l'école ? Tu penses que simplement parce que mon visage a l'air de sortir d'un film d'horreur, tu peux te la couler douce ? »

Newt la fixa. « Non, ce n'est pas mon intention. Et ton visage n'est pas... » Il hésita. « C'est seulement que... bien, dernièrement tu as vécu des choses difficiles. Et j'ai pensé que peut-être que tu aurais besoin d'un ami. »

Il se sent désolé pour moi, réalisa-t-elle, sa mâchoire se resserrant. *Lui, il* se sent désolé pour *moi* !

« Écoute, ne me fais pas de faveur. Et si jamais je décide que j'ai besoin d'un ami, je chercherai quelqu'un de bien plus impressionnant que le Seigneur des Rats. »

Newt tressaillit. Mais alors ses yeux, normalement d'un doux bleu indolent, devinrent noirs comme une ardoise. « Hé, je n'ai pas besoin de ça. Tu ne veux pas me voir près de toi ? Pas de problème. Je m'en vais. »

« Parfait ».

« Parfait. »

Ils partirent en trombe dans des directions opposées.

***

Jori marcha d'un air digne sous la lueur jaune terne des lampadaires, jurant à chaque pas. Son humeur se détériora encore plus lorsqu'elle tourna sur Bridgeview et vit les trottoirs et les rues en démolition, le passage bloqué par des barrières à rayures orange et des lumières ambre clignotantes.

« Parfait », marmonna-t-elle, puis elle détecta un signal de détour qui pointait vers une petite rue étroite. Elle s'y dirigea, puis concentra à nouveau sa colère sur Newt. De toute façon, pour qui se prenait cet imbécile ? Penser qu'elle avait besoin de son aide. Penser qu'elle aurait même *voulu* un ami comme lui. Où avait-il pris le courage de...

De quoi ?

D'être amical ?

Elle se mâchouilla la lèvre, troublée. Donc, le garçon avait été gentil. Tout un crime. Le problème, c'était qu'elle n'avait plus l'habitude des gentillesses. Elle était habituée à tout le contraire — des regards détournés et des remarques méchantes, depuis le jour où elle était revenue de l'hôpital. Ses premières leçons douloureuses sur la cruauté des gens.

Et les choses n'avaient fait qu'empirer au moment de la disparition de sa sœur Lisa. Jori pouvait encore sentir les regards lui brûler le dos, entendre les murmures du nid de cobras la suivre le long des couloirs.

C'est elle ?

Ouais, une famille maudite. D'abord le père. Maintenant la sœur.

Tu penses qu'elle est encore vivante ?

Pas après toutes ces semaines. Pas près d'ici.

Bien sûr, Marisa avait soigneusement entretenu cette levée de cancans, isolant de plus en plus celle qu'elle avait un jour appelée sa meilleure amie. Elle attisait les peurs de ceux que les blessures de Jori repoussaient, et nourrissait la tornade de rumeurs qui entouraient la disparition de Lisa. À ce souvenir, Jori sentit sa gorge se serrer. Pourquoi Marisa s'était-elle retournée contre elle, juste au moment où Jori en avait le plus besoin ?

Elle hocha la tête, fâchée contre elle-même de continuer à s'en faire. Elle leva les yeux pour s'orienter, et elle ralentit. Sans s'en rendre compte, elle avait erré dans le labyrinthe de ruelles étroites qui serpentaient à partir de l'avenue principale. Elle ressentit un pincement de peur. Ça ne lui ressemblait pas d'être dans la lune comme ça.

Elle avança lentement, sursautant chaque fois qu'elle entendait un bruit. Des immeubles sombres recouvraient chaque côté de la rue, et de vieux lampadaires lui lançaient de larges sourires, leurs ampoules cassées miroitant comme si c'étaient des dents. Jori n'avait aucune idée de la direction qu'il lui fallait choisir, et personne autour à qui le demander. En fait, personne qu'elle pouvait voir.

Un cliquetis aigu rompit le silence. C'était régulier, mesuré, suivi par le bruissement d'une chose qui s'insinuait à travers des feuilles mortes.

Clic-clic. Chhhh. Clic. Chhhhh.

De la sueur picota les bras de Jori. Des pas, pensa-t-elle. Qui me suivent.

Clic-clic. Chhhh. Clic. Chhhhh.

Non, ce n'étaient pas des pas. Du moins, pas des pas humains. L'imagination de Jori reprit le dessus, dessinant des images hideuses de traits noirs sauvages. Des images de quelque chose de monstrueux, quelque chose de déformé. Quelque chose qui attendait avidement que quelqu'un d'assez stupide se perde dans cet entrelacement.

Et la chose se rapprochait.

Jori courut, mais la ruelle se ferma autour d'elle, une contrariante course à obstacles. Elle sauta par-dessus les nids-de-poule, avança en trébuchant sur les briques, évita un sofa abandonné, laissé sur le chemin comme une vache éviscérée. Puis, elle trébucha sur un tuyau de métal, tombant contre les murs piquetés d'un vieil immeuble et s'éraflant la peau des mains.

Elle fit à peine une pause bien qu'elle sentit une douleur lancinante. *Plus vite*, pensa-t-elle. *Je dois marcher plus vite*. Elle tituba vers l'avant, déchirant les sangles de son sac à dos surchargé et le laissant tomber sur le sol.

Maintenant, un nouveau bruit commença à rivaliser avec son propre halètement terrifié. Un terrible grognement sourd, de plus en plus fort, et de plus en plus enragé.

Jori gémit, se précipitant désespérément, tournant ici et là, de telle sorte qu'elle était peut-être retournée sur ses pas, se dirigeant directement vers les mâchoires de ce qui la pourchassait. Des sanglots s'arrachèrent de sa poitrine, et elle lança des regards effrayés par-dessus son épaule.

« Aidez-moi », hurla-t-elle. « Quelqu'un, aidez-moi ! »

Une forme noire bondit de l'obscurité menaçante, et Jori poussa un cri.

C'était un chien.

Énorme et au poitrail puissant, l'animal la fixa de ses yeux d'un bleu glacial, sa bouche ouverte sur une caverne remplie de dents acérées. Jori se souvint soudainement d'avoir entendu des histoires de chiens, privés de nourriture, qui étaient devenus sauvages et qui parcouraient les rues, s'attaquant à tout ce qui était plus faible qu'eux. Pendant une longue minute, ni lui ni elle ne firent le moindre mouvement.

Ne montre pas que tu as peur, pensa Jori. Ouais. C'est ça.

Mais le chien ne broncha pas. Il ne fit que s'asseoir sur son derrière, ferma sa gueule, et continua à la regarder, ses oreilles de chauve-souris dressées vers l'avant, la tête légèrement penchée. Sa queue cogna une fois sur le sol, comme s'il attendait les présentations.

Jori se rendit soudainement compte qu'elle n'entendait plus les pas. Ou les grognements. C'est bien, alors. Peut-être qu'après tout il n'y avait pas de monstre dans les ruelles, et peut-être que le chien ne cherchait pas un repas. Tout de même, elle ne se sentait pas en sécurité — pas à cet endroit. Elle commença à se rapprocher de l'animal, qui semblait maintenant lui adresser un large sourire.

« Bon garçon », dit-elle. « Bon chien. »

Elle prit une profonde respiration et se glissa pour le contourner, mais il bondit sur ses pattes et commença à trotter à ses côtés. Au début, elle fut inquiète. Il pourrait encore décider de découvrir ce qu'elle goûtait. Mais elle finit par se détendre, pas entièrement malheureuse de se retrouver en compagnie d'un gros chien qui pouvait sans doute faire reconsidérer ses plans à tout tueur à la hache.

Ils avaient atteint une rue un peu plus large, et Jori essaya d'y tourner. Le chien l'arrêta, mordillant ses talons, puis poussant son épaule massive sur sa hanche.

« Écoute, chien, je ne suis pas une brebis. Et je dois retourner à la maison. » Il l'ignora. Elle finit par céder, pensant que peut-être le chien savait mieux qu'elle comment retrouver son chemin vers l'avenue principale. Il la poussa encore une fois, la conduisant vers le prochain tournant.

Et c'est alors qu'elle la vit.

Une lumière étrange miroitait à l'extrémité de la rue, s'épanouissant à partir d'un bosquet de vieux chênes qui se tenaient comme des géants silencieux derrière un mur de pierres raboteuses. La lueur réchauffait le firmament, s'approchant doucement près des immeubles à proximité pour se terminer en une lueur argentée et faisant briller les troncs d'arbres comme s'ils étaient éclairés de l'intérieur.

Le chien semblait satisfait. Il lécha la main de Jori, la gratifia d'un large sourire avec ses dents pointues, et fila à grandes enjambées dans les ombres à la base du mur. Jori pouvait à peine le voir, mais elle l'entendit aboyer une fois. Une voix répondit, basse et impatiente, et le chien disparut tout à fait.

Jori plissa les yeux, puis s'affaissa, soulagée. À l'endroit où le chien s'était volatilisé, elle ne pouvait distinguer qu'une porte. Et où il y avait une porte, une voix, et un chien qui disparaissait, il devait y avoir des gens. Elle courut vers la porte, saisit le loquet, et tira de toutes ses forces.

La porte ne bougea pas.

« Oh, allez. *S'il te plaît.* » Elle remarqua un judas dans le panneau central et essaya de regarder à travers, mais la vitre était égratignée et tachée. Elle frappa furieusement sur le bois épais, criant pour que quelqu'un l'aide.

Toujours pas de réponse.

« Allez », murmura-t-elle de nouveau, s'effondrant contre la barrière de bois. « Je suis perdue, et j'ai peur, et j'aurais besoin d'un peu d'aide. »

Elle entendit un vrombissement, sentit quelque chose qui frémissait contre sa joue. Elle recula brusquement de la porte, donnant une claque à ce qui pouvait être sorti de sous le bois. Puis elle se figea. Le judas bougeait, son œil de verre se tournant lentement. Il s'arrêta, et Jori restait là à regarder dans cet œil simple et brillant.

L'œil la regarda de la tête aux pieds.

« Excusez-moi », dit une voix sèche et irritée, « mais je serais plus en mesure de vous fournir de l'aide si vous ne frappiez pas sur moi comme un légendaire barbare à la porte. »

La mâchoire de Jori s'affaissa. Un trou juste sous l'œil bougeait. Formait des mots. Elle plissa les yeux en les fermant, espérant qu'elle pourrait les rouvrir et ne distinguer qu'une porte de bois ordinaire.

Mais la voix recommença à parler. « Bien, allez-vous dire quelque chose, ou pensez-vous que je puisse faire de la télépathie ? » Comme Jori ne répondait pas, la porte soupira. « Je te jure, le chien s'exprimait plus clairement. »

Bien, au moins, cela explique tout, pensa Jori. Je suis devenue cinglée. Elle recula, son esprit tourbillonnant.

« Oh, venez, ne restez pas comme ça », soupira la porte, son regard s'adoucissant. « Veuillez excuser mon comportement — je suppose que je dis des balivernes. Je serais heureux de vous laisser entrer. En supposant, bien sûr, que vous *savez* le demander poliment. »

Jori hocha la tête, se retourna, et courut.

DEUX
LA TRAHISON

Jori n'était pas sûre de savoir comment elle s'y était prise pour revenir chez elle, mais pour la première fois depuis des mois, elle était heureuse d'atteindre la porte avant de sa maison. À l'intérieur, la veste de sa mère était jetée sur le plancher près de la rampe d'escalier. Jori entendit le *toc toc* d'un couteau sur une planche à découper et en suivit le son jusque dans la cuisine. Elle y trouva là sa mère qui essayait de concocter un souper à partir de restants de poulet, une boîte de conserve de soupe aux champignons, et la moitié d'un sac de nouilles.

Sa mère jeta un coup d'oeil à Jori lorsqu'elle entra, se forçant à sourire malgré ses traits tirés. Jori détestait ce sourire. Il avait l'air aussi vrai que celui d'un mannequin.

« Salut, ma chérie. C'était comment à l'école aujourd'hui ? »

Jori haussa les épaules, s'effondrant sur une chaise et tortillant un bouton de sa veste. « C'était pas mal. »

Elle sentit que le radar de sa mère commençait à entrer en action, et un instant plus tard, Jori se faisait examiner aussi méticuleusement que s'il s'était agi d'une scène de crime.

« Tu es sûre ? Tu as l'air un peu… »

« Je suis certaine. »

« Hum, hum. » Sa mère déposa son couteau et se croisa les bras. « Alors comment peux-tu expliquer que tes mains soient égratignées ? Tu ne t'es pas encore battue avec Marisa, n'est-ce pas ? » Jori hocha la tête, enfonçant sa tête entre ses genoux. « Elle ne mérite pas que tu subisses une suspension, ma chérie. Malgré que je jure quand je pense à tous les repas que j'ai préparés pour cette fille… »

« Ce n'était pas Marisa. J'ai trébuché contre un mur, c'est tout. » Elle fit une pause. « Ne t'inquiète pas tant. »

« Je ne m'inquiète pas. Mais depuis quand arrives-tu à la maison et que tu viennes t'asseoir dans la cuisine avec moi ? Évidemment, à moins que le câble ne fonctionne pas. »

Jori haussa à nouveau les épaules. Sa mère attendit un long moment, mais finit par laisser tomber et retourna à la planche à découper. « Au moins, es-tu allée chercher l'épicerie comme je te l'avais demandé ? J'ai placé un vingt dollars dans ton sac à dos. »

Jori eut un mouvement de recul. Le sac à dos ! Non seulement contenait-il l'argent, mais aussi ses livres de mathématiques et de littérature. Sans mentionner les quarante et quelques fiches qu'elle avait compilées pour un rapport à remettre dans dix jours. Maintenant, tout était trempé dans une ruelle parce qu'elle avait eu peur d'un idiot de chien.

« Désolée. J'ai… oublié. »

« Tu as oublié. Tu sais, Jori, c'est assez difficile... » Elle s'arrêta. « D'accord, remets-moi seulement le vingt dollars. »

« Non ! »

« *Excuse*-moi ? »

« Je veux dire... laisse-moi le garder. J'apporterai tout demain. »

Jori attendit la suite des questions, mais sa mère ne fit que soupirer. « Comme tu veux, Jo. Mais il serait préférable que je ne découvre pas que tu l'as dépensé pour quelque chose de stupide. Ou dangereux. »

« Comme quoi ? Des cigarettes ? De la drogue ? Je ne suis pas idiote, Maman. »

« Non, pas de la drogue. » Sa mère fit une pause, puis marcha vers Jori et lui toucha la joue. « Je parle de... chocolat. Je me suis toujours fait du souci à propos de ta dépendance au chocolat. » Puis elle sourit — cette fois-ci, ce n'était pas un sourire de mannequin.

À contrecoeur, Jori lui rendit son sourire, se demandant si sa mère savait combien elle l'aimait éperdument. Si son père avait toujours été pour elle un enrobage bonbon clair, alors sa mère avait toujours été son centre sucré — applaudissant aux succès de Jori, écoutant les bavardages ininterrompus de Lisa, riant de manière hystérique à toutes les blagues que le père de Jori ramenait du travail à la maison. Mais tout ça s'est arrêté le jour où il a fouillé pour retrouver un téléphone cellulaire échappé, pendant qu'il conduisait Jori à la maison d'une amie. Le jour où leur monde s'est écroulé.

Jori se rappelait l'incessant flot d'horreurs qui avait suivi l'accident. Se réveillant à l'hôpital, enveloppée dans des bandages, ressentant plus de douleur que même la perfusion de morphine ne pouvait masquer. Le visage tourmenté de sa mère lui apprit que son père était décédé, et que les funérailles avaient eu lieu quelques jours auparavant. Elle se rappelait son premier regard dans le miroir, lorsqu'elle vit les blessures suturées s'entrecroiser sur le côté droit de son visage — des blessures dont on lui avait dit qu'elles ne s'effaceraient qu'après des années de chirurgie. Elle avait fixé son reflet pendant un long moment.

Des semaines plus tard, quand Jori était finalement revenue de l'hôpital, Lisa l'avait rencontrée à la porte, et avait attrapé sa valise, ayant soin de ne pas fixer les vilaines cicatrices rouges sur le visage et les bras de sa sœur. Elles se dirigèrent vers la chambre à coucher qu'elles partageaient depuis la naissance de Lisa

« J'ai tout allumé », avait dit Lisa mal à l'aise. « Une sorte de bienvenue. »

Mais quand Jori était entrée dans la pièce, elle s'était arrêtée net.

Cette pièce avait toujours été leur sanctuaire, une planque explosant des débordements de deux imaginations très actives. Le côté de Lisa était peuplé de toutes les créatures imaginaires qu'elle avait pu trouver — gargouilles et griffons, hobbits et lutins, magnifiques chevaux ailés et troupeaux de délicates licornes. Chaque jour après l'école, elle lançait ses livres sur le lit et réorganisait les personnages miniatures en des combinaisons sans fin. Lorsque Jori lui en demanda un jour la raison, elle fit un large sourire. « Pour qu'ils ne s'ennuient pas. »

Les contributions de Jori étaient plus réalistes, mais à peine plus modérées. Sur son bureau, des chutes d'eau se déversaient sur un abat-jour pivotant, alors qu'au-dessus de son lit, une forêt sombre brillait sous une ampoule en forme de lune. Une machine à bruit ajoutait la musique de criquets et les pépiements aigus de grenouilles. Et vagabondant sur ses étagères ou regardant à partir d'affiches sur le mur, il y avait les loups. Des douzaines de loups — de céramique, rembourrés, de verre et gravés. Elle avait toujours adoré ces animaux puissants – pour leur force, leur intelligence, leur totale dévotion à la famille.

Jusqu'à maintenant.

Alors qu'elle se tenait là, debout, les chants stridents des grenouilles et des criquets la percèrent comme de brefs hurlements. Et les loups, la gueule ouverte et hurlant, semblaient rire d'elle. Ou peut-être qu'ils hurlaient. Furieuse, elle commença à déchirer les affiches des murs, arrachant les prises de courant des machines à bruit qui pépiaient, balayant les loups des étagères pour les fracasser sur le sol.

Puis, essoufflée, elle fit une pirouette vers le côté de la chambre qui appartenait à Lisa, vers les stupides, *stupides* jouets de sa sœur. Elle cogna sur une montagne de verre scintillant, arracha la licorne ailée suspendue au-dessus du lit de Lisa, se dirigea vers une minuscule famille de gnomes. Elle entendit un sanglot, se tourna, et paralysa devant la douleur atroce qui se lisait sur le visage de Lisa.

« Ne fais pas ça », murmura Lisa. « C'est Papa qui me les a donnés. Tout comme il t'a donné les loups. »

« Et Papa est mort », dit Jori d'une voix monocorde. « D'ailleurs, j'ai d'autres choses qui me le rappellent. » Elle releva son bras déchiré près de son visage, regardant avec une sinistre satisfaction les derniers bouts de luminosité quitter les yeux de Lisa.

À partir de ce moment, elle ne se rendit dans la chambre que pour dormir. Et Lisa ne la quitta que rarement, assise sur son lit pendant des heures. Il arrivait à Jori d'entrer et de la voir serrer contre elle la carcasse brisée de la licorne ailée, ses yeux foncés ressemblant à des fenêtres ouvrant sur sa douleur intérieure.

L'été arriva. Jori l'observa principalement à travers la fente des stores miniatures. Lisa demeura aussi à l'intérieur, marchant silencieusement de pièce en pièce ou s'assoyant, demeurant là, impassible devant la télévision. Puis septembre s'imposa à elles, entraînant les deux filles hors de la maison et de retour à l'école. À cet endroit, Jori se découvrit formellement dans le rôle d'une exclue, avec des gens, qui soit reculaient craintivement devant elle, ou ridiculisaient son apparence. Elle s'assoyait à l'arrière des salles de classe et marchait seule dans les couloirs, où il lui arrivait de remarquer Lisa se glisser comme un spectre à travers les cliques d'étudiants qui pépiaient. Et puis, un jour, quelques semaines après le début de septembre, Lisa ne revint pas à la maison après l'école.

Jori se rappelait son propre sentiment de panique grandissant cet après-midi-là. Lisa était revenue de plus en plus tard à la maison chaque jour, mais rien de la sorte. Vers 17 h 30, lorsque Lisa n'était toujours pas de retour, Jori avait commencé à téléphoner à toutes les anciennes amies de sa sœur. Puis, elle avait reconstitué le chemin de retour de Lisa vers la maison, frappant aux portes, questionnant des étrangers. Personne ne l'avait vue. Jori trébucha jusqu'à la station de métro et attendit comme une statue que sa mère sorte de la rame de métro.

Trois heures plus tard, elles se retrouvaient autour de la table de la cuisine, finissant un rapport de personnes disparues avec la détective qui avait répondu à leur appel. « Treize ans », Jori entendit sa mère dire à la femme. « Longs cheveux bruns. » Jori était incapable d'écouter. Elle partit dans la chambre, et s'assit sur le lit de Lisa, fixant les étagères vides, les restants d'affiches déchirées et le ruban adhésif sur le mur.

Rongée par le souvenir de la façon dont elle avait maltraité sa sœur, Jori tendit le bras près d'elle, cherchant à tâtons la licorne brisée. Elle ne sentit rien. Perplexe, elle baissa les yeux et vit simplement une légère bosse sur l'oreiller où se trouvait habituellement le jouet. Elle fixa la scène un moment, puis inspecta le reste de la pièce. D'autres choses manquaient aussi. Un cadre artisanal qui encadrait une photographie de famille. Un précieux livre pour enfants. Un globe de verre où les couleurs liquides de l'arc-en-ciel tourbillonnaient comme des nuages. Tous des cadeaux pour Lisa de la part de son père.

Jori courut dans la cuisine, suffoquée par ce qu'elle avait découvert. La détective soupira et se pencha vers la mère de Jori, tendant la main vers son bras. « Je sais que ce sera difficile pour vous de l'entendre », dit-elle doucement. « Mais je crois que nous devons considérer la possibilité que votre fille se soit enfuie. »

La mère de Jori retira sa main. « Ma Lisa n'aurait pas fait ça », dit-elle, ses yeux s'égarant sur une photo collée sur le réfrigérateur. Sur la photo, une Lisa riante se tenait enveloppée dans les bras d'un grand homme aux cheveux roux qui lui faisait les mimiques d'un visage de monstre. « Mon mari... bien, il est mort dans un accident de voiture il y a quelques mois. Depuis ce temps, Lisa avait été très tranquille. Fragile même. Comment aurait-elle pu trouver la force de partir ? »

Jori attrapa le regard de l'officier sur son visage. La femme se retourna rapidement.

« Pourtant... parfois une tragédie de la sorte... »

« Ma fille ne se serait pas enfuie. »

« Non », dit doucement l'officier, fermant son cahier de notes. « Je suis certaine qu'elle ne l'aurait pas fait. »

***

« Va-t-en », murmura Jori à ce souvenir. « Tu me rends folle. » Elle se leva et mit la table,et s'obligea à manger quelques morceaux de la casserole de fortune. Plus tard, elles se blottirent devant la télévision, essayant de masquer le silence d'une maison qui avait jadis vibré des cascades de rires de Lisa et fourni une scène pour les histoires ridicules de son père qui méritaient plutôt des grognements.

Au moins, il n'y avait plus de questions à propos de son sac à dos ou de l'argent. Tout de même, si elle voulait éviter un autre interrogatoire, Jori savait qu'elle ne devait pas « oublier l'épicerie » deux jours en ligne.

Donc l'après-midi suivant, de retour de sa retenue, elle se retrouva à attendre impatiemment Newt. Lorsqu'il se montra finalement dans l'embrasure de la porte, elle lui fit signe de la main. Il passa devant elle et s'assit trois rangées plus loin.

« *Monsieur* McAllister », rugit la voix pincée de M. Alvarez. « Je ne crois pas qu'il s'agisse du siège qu'on vous a assigné. »

« Bien, j'espérais que ça ne vous dérangerait pas si je changeais. Le décor est bien meilleur à cet endroit. »

« Oh, ça me dérange, M. McAllister. Vous avez abandonné le droit de choisir quoi que ce soit quand vous avez laissé partir ces rats de leurs cages. S'il vous plaît, prenez votre siège original. » M. Alvarez croisa les bras et attendit.

« Salaud », marmonna Newt, mais il changea de pupitre, cherchant ostensiblement à éviter les yeux de Jori.

Elle laissa passer deux minutes.

« Hé, Newt. »

Il l'ignora.

« Ps-s-st. Newt. Il faut que je te demande quelque chose. »

Newt glissa sur son siège et fixa le plafond.

« Newt. Écoute. Je suis désolée pour hier. J'ai agi comme une idiote. »

Pendant un moment, il ne répondit pas. Puis, il lui jeta un regard.

« Ouais. C'est vrai. »

Jori eut l'air honteux. « Je sais. Écoute, est-ce que je peux te parler quand nous partirons d'ici ? Je veux dire, si je promets de ne pas agir comme hier ? »

Newt sourit, finalement, puis se redressa sur son siège. « Tu parles », dit-il. « Quelque chose ne va pas ? »

Elle hésita. « J'ai besoin d'une petite faveur. »

TROIS
UN CHIEN AVEC UN SAC À DOS

Les quatre-vingt-dix minutes parurent une éternité. Lorsque la cloche finit par sonner, Newt se pencha au-dessus de son pupitre.

« Alors, de quoi voulais-tu me parler ? »

« Sortons d'abord. »

Ils sortirent dans le couloir juste au moment où Marisa et son entourage tournaient le coin, arrivant en riant du gymnase. « Merde », marmonna Jori, la salle de détention devenant soudainement attrayante. Regardant les yeux noirs de Marisa, sa silhouette élancée d'un mètre soixante-dix, et une peau olive sans imperfection, Jori sentit immédiatement ses cicatrices la démanger.

« Oh, regarde », dit Marisa, en les fixant. « N'est-ce pas *tout à fait* adorable ? Jori a fini par se faire un petit ami. » Sa suite de clones se mit à rire. « Et Newt, ici tout le monde pensait que tu ne t'intéressais pas aux filles. »

Jori serra les dents. « Ferme-la, Marisa. »

« Bon, bon », dit doucement Marisa, glissant un bras autour de la taille de Jori. « Des amies ne doivent pas se cacher des secrets. » Elle se rapprocha en se penchant vers elle. « C'est une bonne nouvelle. Un autre gay — je veux dire, gars — sur le marché. »

« Tu sais, Marisa, dit Jori, tout aussi doucement, ce bleu autour de ton œil est presque disparu. Qu'est-ce que tu penserais si je le rafraîchissais ? »

Les autres filles hurlèrent, ravies d'horreur, et Marisa recula rapidement d'un pas. À ce moment précis, Derek Worsley, petit ami consacré de Marisa, se montra nonchalamment à proximité, les mains plongées dans les poches de son veston de cuir brun anthracite. Immédiatement, les cris aigus cessèrent.

Ce type paraissait bien, même Jori devait l'admettre. Il avait des yeux verts impressionnants, des cheveux parfaitement coiffés et il était musclé et mince. Difficile de croire qu'il y avait moins d'un an, Derek n'était qu'un moins que rien — un garçon ennuyeux et maussade, avachi à l'arrière de chaque salle de classe, portant des vêtements qu'un refuge pour sans-abri aurait refusés.

Puis Marisa l'avait remarqué. Comme elle avait besoin d'un esclave, elle l'avait évalué et elle avait décidé qu'il était possible de le façonner pour répondre à ses besoins particuliers. Elle flirta donc avec lui, joua avec son ego et l'emmena courir les magasins (c'est elle qui lui avait donné le veston de cuir). En un mois, il s'était transformé. Maintenant, il aurait sauté devant un train si elle le lui avait demandé.

« Hé ! Mar », dit-il, en marchant vers eux. « Regarde ce que j'ai trouvé pour toi. » Il sortit un bracelet de sa poche, une bande dorée avec une mince ligne de fragments de diamants de chaque côté. Son expression demeura circonspecte jusqu'à ce que Marisa lui arrache le bracelet des doigts, le glisse autour de son poignet et étire son bras de manière à ce que ses sous-fifres puissent l'admirer.

« Ça te va bien », dit Derek.

« Certainement que ça lui va bien », convint Jori. « Dans quel casier l'as-tu chipé ? »

Les yeux de Derek se posèrent sur elle et il fronça les sourcils.

« Elle te cause des problèmes, Mar ? »

« Non. Elle est seulement un peu grincheuse aujourd'hui. Et j'ignore totalement pourquoi », sourit Marisa. « De fait, j'étais juste en train de lui dire quel beau couple elle faisait avec Newt. Une sorte de jolie combinaison épouvantail/lilliputien. »

Derek grogna, et Jori se dirigea vers eux, les poings serrés. Newt bondit devant elle.

« Excuse-moi ! », dit-il, fixant Marisa. « Viens-tu juste de me comparer à un homme de paille maigre, nul, qui danse des claquettes ? » Il se courba, balayant sa main en un immense arc. « Je suis flatté. » Il attrapa les bras de Marisa, et commença à la faire pivoter, trébuchant et glissant dans une valse de style homme-caoutchouc pendant qu'il chantait une chanson sur son absence de cerveau.

Marisa le secoua. « Mon Dieu. Ce n'est pas étonnant que tout le monde pense que tu es un pédé. »

Ses lèche-bottes hurlèrent de rire et Newt se figea.

Jori fulmina, lançant un regard furieux au visage suffisant de la fille. « Fais attention, Marisa. Crois-le ou non, tu ne m'as jamais vue *vraiment* me fâcher. »

Marisa regarda Derek avec l'air d'attendre quelque chose, espérant qu'il prenne sa défense. Il la fixa à son tour d'un air ébahi, et l'ombre d'une irritation croisa le visage de

Marisa. « Tu es nul, parfois, tu le sais ? » Le visage de Derek vira au cramoisi.

Marisa se retourna vers Jori, recommençant à sourire. « Bien, mon chou, je suppose qu'il est idiot que nous nous battions. En fait », dit-elle, en regardant Newt, « j'espère que tu passes du bon temps avec ce charmeur. Je comprends que les débiles puissent avoir des capacités étonnantes. » Elle partit avec grâce, son troupeau d'admirateurs à sa traîne.

« Sorcière anorexique », marmonna Jori. « Et je crois que ses amis partagent tous une cellule cervicale unique. » Silencieusement, elle et Newt s'éloignèrent de l'école. Ils marchèrent la distance d'un pâté de maisons ou à peu près, et Jori remarqua que Newt paraissait inconfortable, semblant éviter son regard.

« Tu as été super », finit-il par dire.

« Quoi ? »

« La façon dont tu as tenu tête à Marisa. Tu étais extraordinaire.

Jori haussa les épaules. « Non. Juste fâchée. J'ai un sale caractère. Que tu... connais un peu déjà. »

Un sourire fit remuer les lèvres de Newt. « Ouais, bien j'aimerais parfois être un peu plus comme ça. Dans ma tête, je peux être tout à fait extraordinaire. Étamper quelqu'un. Casser le nez d'un autre, s'il le fallait. Vaincre les hordes du diable. Au lieu de cela, je me contente de raconter une blague, ou d'agir de façon bizarre, ou... de danser. » Il fit une grimace.

« Écoute, Newt. On surestime beaucoup cette méthode qui consiste à cogner sur les gens. Crois-moi. À part ça, ta danse m'a probablement sauvée d'une autre détention. »

« Oh, ouais. Je suis un vrai héros. » Il changea de sujet. « Donc, qu'est-ce qu'il y a entre toi et Marisa de toute façon ? », demanda-t-il. « Comment tout cela a-t-il commencé ? »

Ce n'est pas de tes affaires, pensa Jori. Mais elle se contrôla, sachant qu'elle avait encore besoin de son aide.

« Cela a commencé quand elle a été transférée à l'école, environ six mois avant… l'accident. » Les yeux de Newt la fixèrent, et elle détourna les yeux. « J'étais assise près d'elle dans la classe d'oral. À cette époque, elle semblait assez timide, elle manquait vraiment d'assurance. J'avais pitié d'elle, donc j'ai commencé à lui parler chaque jour avant la classe. Un jour, elle a juste laissé échapper qu'elle ne connaissait personne, qu'elle souhaitait avoir une amie comme moi qui pourrait lui faire visiter les lieux. »

« Je me suis sentie flattée, je suppose. Crois-le ou non, j'étais pas mal populaire à ce moment-là. J'avais beaucoup d'amis, je faisais du sport, j'ai été désignée dans différents clubs et pour différents prix. Probablement que tu l'ignorais. »

« Bien sûr que je le savais », dit Newt. « J'ai toujours su qui tu étais. »

Jori fit une pause, surprise. Mais Newt ne dit rien d'autre. « De toute façon, peu de temps après, nous étions toujours ensemble. Je l'ai présentée à tous mes amis, j'ai arrangé les choses pour que nous participions aux mêmes activités. Elle était vraiment drôle, et je continuais de lui dire à quel point elle était extraordinaire, j'ai essayé de lui donner plus de confiance en elle. »

« Félicitations. Tu as réussi. »

« Ouais, j'ai réussi. Elle a fini par devenir elle-même assez populaire. Mais alors, elle a commencé à agir de façon étrange. Elle a commencé par cesser de passer autant de temps avec moi, puis plus rien. Sans que je m'en rende compte, elle s'est mise à me faire concurrence dans des domaines qui m'intéressaient, et toutes sortes de bruits ont commencé à circuler à mon sujet. Je n'y comprenais rien. »

Newt fronça les sourcils. « Peut-être avait-elle peur. »

« Peur ? De quoi ? »

« De toi. Tu étais celle qui l'avait lancée. Peut-être a-t-elle cru que si elle devenait trop populaire, tu finirais par la démolir. »

« Oh, s'il te plaît, j'étais sa meilleure amie, pour l'amour de Dieu ! » Mais alors même qu'elle prononçait ces mots, Jori se rendit compte que le commentaire de Newt se rapprochait probablement de la vérité, comme la pièce manquante d'un casse-tête s'y insérant soudainement.

« Alors ? », demanda Newt. « Puis, qu'est-il arrivé ? »

« Puis... l'accident. Pendant que j'étais à l'hôpital, elle a tout pris – ma place dans l'équipe de soccer, ma place au conseil étudiant. Et quand je suis revenue à l'école, c'était comme si elle ne m'avait jamais connue. J'étais juste le phénomène de la semaine, quelqu'un de qui se moquer. »

« Quelle amie ! »

« Ouais. »

« Okay », dit Newt, se rentrant les épaules et adoptant un accent du sud de la France, « tu veux que je t'la fasse... disparaître ? »

« Ce serait gentil. »

« Okay », dit-il. « T'inquiète pas. Elle dormira bientôt avec les poissons. »

Jori rit – puis s'arrêta brusquement. Ils venaient d'atteindre l'intersection de Bridgeview et de la Quatorzième Rue. Mais les barrières et les lumières clignotantes étaient disparues, et il n'y avait aucun signe de construction.

Elle fixa la scène, déroutée.

« Quelque chose ne va pas ? », demanda Newt. Jori regarda autour encore quelques instants, puis elle finit par lui raconter ce qui était arrivé le jour précédent. Pas toute l'histoire, bien sûr. Juste assez pour qu'il puisse l'aider à retrouver son sac à dos.

« Tu es certaine que c'est ici que tu te trouvais ? », demanda Newt quand elle eut terminé.

« Ouais, c'est là. Bridgeview. Du moins, je crois que c'est ici. » Elle fronça les sourcils, ne sachant que faire. Elle s'était dit qu'ils commenceraient à marcher à partir des barrières, puis remonteraient et descendraient les petites rues jusqu'à ce qu'elle retrouve celle où il y avait des lampes brisées. Mais maintenant…

Un aboiement profond retentit sur la rue. Jori regarda, étonnée. Le chien était revenu. Et sa patte massive était fermement plantée sur son sac à dos.

« Ho ! dit Newt, ce corniaud paraît horrible. »

« Tu crois ? Bien, alors nous avons un problème. » Elle pointa le sac à dos.

« Tu blagues. »

« Non, c'est ça. » Elle se déplaça lentement vers l'animal. « Hé, gros chien. Qu'est-ce que tu as là ? »

La queue du chien frétilla lentement. Mais alors, il pencha la tête, attrapa les courroies entre ses dents, et commença à traîner le sac à dos dans la ruelle. Ses yeux bleus bizarres la mettaient au défi de le suivre.

« Arrête », dit-elle. « Arrête, juste là ! »

Le chien l'ignora. Se retournant, il lança le lourd sac sur son dos aussi facilement que s'il avait été vide, puis il trotta vers la ruelle, comme un élève déterminé à ne pas arriver en retard à son prochain cours.

« Reviens ici ! », cria-t-elle, tapant du pied. Elle regarda Newt. « Viens. »

Ils le prirent en chasse tous les deux, tournant dans la ruelle où le chien était disparu. La lueur de la lune remplissait déjà le passage, leur permettant de suivre facilement le chien qui trottait à travers le dédale de zigzags.

« Sais-tu où il s'en va ? », demanda Newt, essoufflé.

« J'ai une idée. »

Le chien aboya à quelque distance au-devant d'eux, les sons se répercutant d'un mur à l'autre. Ils coururent dans un autre long passage et tournèrent le coin. La lumière scintilla au bout de la rue.

Newt s'arrêta stupéfait. « Qu'est-ce que c'*est* que *ça* ? »

Jori décida qu'elle laisserait Newt le découvrir par lui-même. Elle le conduisit vers le mur, et lorsqu'ils atteignirent la lourde porte de bois, elle cogna. Fort.

Bien sûr, le bruit sourd vrombissant commença, et le judas de verre tourna en position. L'œil apparu, l'air inquiet. Il jeta d'abord un regard à Newt, puis à Jori. La voyant, il s'ouvrit un peu plus en grinçant.

« Vous êtes revenue ! » La voix qui sortait du trou était claire et joyeuse. « Je craignais que ma rudesse d'hier vous ait offensée sans que je puisse réparer mon impolitesse. »

Newt regarda, secoué. « Qu'est-ce qui se passe ? »

« Je n'ai aucune idée. »

Il s'approcha, examinant le judas et touchant les bords de la porte. « D'accord, donc c'est l'un de ces aimants électriques — ces trucs électroniques, pas vrai ? Comme dans un parc thématique. Ou il y a une caméra cachée quelque part, et quelqu'un qui se cache derrière un panneau. »

L'œil de la porte pivota. « Sceptique », murmura la porte. Celle-ci reporta son attention sur Jori, la douille de cuivre tintant agréablement. « Donc, dites-moi, ma chère — qu'est-ce qui vous ramène ? »

« Euh… au fond, c'est le chien. Il a pris mon sac à dos. »

La porte fit un doux petit rire. « La bête est incorrigible. Mais s'il a votre sac à dos, alors je suppose que je dois vous laisser courir après lui, n'est-ce pas ? » Elle entendit un léger clic et le raclement du métal qui glissait. Lentement, la porte pivota sur ses charnières.

« Bienvenue », dit-elle.

QUATRE
LE COLLECTIONNEUR

Jori passa l'embrasure affaissée, et s'arrêta, impressionnée.

Ils se trouvaient dans un jardin, mais un jardin qui ne ressemblait à aucun de ceux qu'elle ait déjà vus. Des arbres élancés se balançaient dans une brise chaude à senteur de lilas, et des fleurs d'un blanc pur tombaient en cascades d'un enchevêtrement luxuriant de vignes suspendues. Jori reconnut les arums et les roses, les jacinthes et les azalées, des couches veloutées de mousse d'argent, et les douces gerbes d'œillets d'amour. Tout était d'un blanc brillant, luisant, et tout fleurissait en plein automne, alors que tout aurait dû être en décrépitude depuis longtemps.

« C'est le jardin de lune », murmura-t-elle.

« Le quoi ? »

« Le jardin de lune. Une berceuse que mon père avait composée pour Lisa et moi quand nous étions petites. Chaque soir, nous avions l'habitude de lui demander de la chanter pour nous. » Elle ferma les yeux, essayant de bloquer le souvenir qui fleurissait autour d'elle. Mais la chanson de son père émergea d'elle, spontanément, contre sa volonté.

Viens jouer dans le jardin de lune
Le reste du monde s'endort
Nous ne sommes plus que toi et moi
Et les fleurs et les arbres
Et les pensées magiques dans nos têtes.

Viens chanter dans le jardin de lune
Les brises babilleront d'une voix flûtée aux roseaux
Et si tu chantes les notes hautes
Alors, je modulerai plus bas
Et nous verrons où nous conduit la mélodie.

Nous sommes dans le jardin de lune, le jardin de lune magique
Caressé par les feuilles au bout éclatant
Où les arbres parlent en murmurant
Où les oiseaux ne dorment jamais
Et vous voyez ce que vous voulez croire...

Elle cligna des yeux, soudainement consciente de sa propre voix. Newt l'observait, une expression de douceur sur son visage.

« C'est une jolie chanson, Jori. »

Embarrassée, elle se retourna, s'essuyant les yeux avec colère.

« Je ne vois pas notre ami poilu », dit-elle, essayant de parler malgré sa gorge serrée. « Hé, gros chien. Es-tu là ? »

« Euh... » Newt pointa vers le fond du jardin. « Il est peut-être parti là-dedans. »

Nichée entre deux larges chênes protecteurs, il y avait une petite maison, un cottage si charmant qu'on l'aurait dit sorti tout droit d'un conte de fées. Une volute décorative terminait le toit de bardeaux rouges qui était peu élevé, et des volets de bois incrustés ornaient chaque fenêtre. Une porte bleu clair assortie d'un marteau de porte à tête de lion brillait, invitante, au clair de lune.

Un souvenir démangeait le cerveau de Jori. Une vague image d'une peinture — non, pas une peinture, une de ces affiches qui encourageait à la LECTURE. Elle était accrochée à l'entrée du centre de documentation de l'école quand elle était petite, et Jori avait l'habitude de s'arrêter et de la regarder chaque fois qu'elle visitait cet endroit. Elle l'avait toujours aimée et avait rêvé de vivre un jour dans une maisonnette semblable.

Amusant, pensa Jori, alors qu'elle et Newt se rapprochaient de la porte bleue en passant par un court chemin de galets. L'artiste avait dû se servir de cet endroit comme d'un modèle Mais elle n'avait jamais imaginé qu'une telle chose pouvait exister — du moins pas au beau milieu de la ville.

Newt tendit le bras vers le marteau de porte, mais le crochet de métal se souleva, remonta et tapa doucement sur le bois. Silencieusement, la porte s'ouvrit.

« Bien », dit Newt, baissant lentement sa main. « Au moins, celle-ci ne parle pas. »

De plus en plus curieux, pensa Jori. Elle regarda à l'intérieur. « Allo ? Il y a quelqu'un ? »

Il n'y eut pas de réponse. Mais Jori, déterminée à retrouver son sac à dos, passa l'embrasure de la porte.

La pièce était plus grande qu'elle ne l'aurait cru, et sentait bon la cannelle et le pin. Les murs étaient vert mousse foncé, et un plafond à poutres apparentes se déployait au-dessus de leurs têtes, disparaissant dans l'obscurité. Quatre chaises confortables formaient un demi-cercle autour d'un foyer de pierre, pendant que des bibliothèques et des cabinets remplis d'objets rares occupaient le reste de la pièce. Des éclats colorés provenant d'une douzaine de lampes de verre coloré luisaient dans l'obscurité.

Jori jeta un regard dans le cabinet près d'elle ; disposé près d'un globe antique rempli de neige artificielle, un écureuil rembourré la fixait de ses yeux sombres perlés. Il y avait aussi une ancienne sphère de paysage enneigé, un kaléidoscope de verre, la locomotive d'un ensemble de trains miniatures, et un cadre fait de coquillages entouraient une image de chien. Bizarre, pensa-t-elle. Pourquoi disposer une telle camelote dans une vitrine d'exposition ?

Elle regarda Newt, qui penchait la tête et examinait une collection de romans cartonnés sur l'une des étagères.

« Il y a quelqu'un qui est un super accro de la littérature fantastique. Écoute ces titres : *Soldat des étoiles, La vallée secrète, Le parc Jurassique, Légende de la Vieille Angleterre, Tarzan, Le Hobbit…* »

Une voix amusée émergea de l'obscurité. « Chacun d'entre eux est un classique, je puis vous l'assurer. »

Jori sursauta. D'une chaise de cuir vert, un vieil homme leur souriait. Il portait un cardigan froissé, avec col à pointes boutonnées ; des pantalons gris, genre tweed, et des sandales avec des bas foncés. Des mèches de longs cheveux argentés étaient coiffées soigneusement vers l'arrière de la tête, s'échappant en douces mèches folles juste au-dessus de son collet. Des yeux d'une grande douceur les regardaient sous des sourcils poivre et sel.

C'est un professeur à la retraite, pensa immédiatement Jori. Ou Monsieur Rogers, revenu de la mort.

« Regardez, Monsieur », dit-elle, se dirigeant vers la sortie, « n'appelez pas la police. La porte était déjà ouverte, alors… »

Le vieil homme sembla surpris. « Ma chère fille. De quoi parlez-vous ? Je suis tout simplement enchanté que vous soyez ici. J'étais très inquiet de voir que vous étiez en retard. Le quartier a souffert de changements regrettables ces dernières années, et on ne sait jamais qui on va rencontrer dans la rue. »

Jori s'arrêta. « Que voulez-vous dire, être en retard ? Nous ignorions que nous venions ici. »

« Je ne suis pas surpris. Rares sont les gens qui le savent. »

« Alors de quoi... »

« Pourquoi est-ce que je ne commence pas par vous faire visiter les lieux ? », dit le vieil homme, relevant lentement sa frêle silhouette de la chaise et tendant le bras pour attraper une canne de bois.

Jori recommença à parler. « Attendez. Nous ne savons rien de... »

« Mais je ne m'attendais pas à ce que vous le sachiez. Puisque mon plan est de vous servir d'instructeur. » Il lui donna une petite tape sur le bras pour la rassurer. « N'ayez pas honte, ma chère. Vous êtes encore jeune, et vous avez de nombreuses années d'éducation devant vous. Alors, maintenant. Pouvons-nous commencer ? Je suis sûr que vous avez très envie de voir mes collections. »

Il est cinglé, pensa Jori, regardant Newt du coin de l'œil. Il dessina un cercle près de son oreille avec son doigt, puis lui fit signe de faire attention.

Jori se força à sourire. « Des collections », dit-elle. « Certainement. Ce serait extraordinaire. »

« Je suppose que ce l'est. Maintenant, alors, laissez-moi voir. » Il regarda autour, tapotant sa lèvre avec ses doigts. Puis il sourit. « Ah, oui. La chose parfaite pour votre ami. Jeune homme, veuillez me suivre. »

Newt leva un sourcil et marcha vers le vieil homme. Jori traîna juste derrière. Sur le mur qui leur faisait face, il y avait une affiche spectaculaire représentant de l'ancien équipement de combat — énormes épées et plastrons massifs, piques à l'aspect violent, casques et boucliers, masses et étoiles du matin. La mâchoire de Newt s'affaissa.

« C'est… wow. » Il regarda le vieil homme avec curiosité. « Comment avez-vous su que je m'intéressais à ce type de choses ? Ce n'est pas exactement très connu. »

Son hôte sourit. « J'ai un bon instinct. » Puis il commença une explication détaillée des différents articles, expliquant l'Histoire, les buts, et leur fabrication à son invité fasciné. Pendant qu'il donnait ses explications, Jori se dirigea vers un ensemble de vitrines d'exposition recelant des contenants de verre plat. Elle jeta un regard à l'intérieur, puis se pencha plus près, surprise.

Disposée de façon experte sur des bases de coton doux, se trouvait une extraordinaire collection d'insectes. Jori pouvait voir tous les types d'insectes imaginables, des libellules délicates et des minuscules pucerons, jusqu'aux féroces dynastes. Elle fut particulièrement fascinée par un étalage spectaculaire de phalènes et de papillons. Comme elle les examinait, le vieil homme se dirigea vers elle.

« C'est *vraiment* quelque chose ! », dit-elle, oubliant temporairement son appréhension.

« Mes lépidoptères ? Oui, ils sont ravissants, n'est-ce pas ? »

Jori parcourut des yeux les autres casiers. « Mais il n'y a pas d'araignées. Je sais que c'est étrange, mais j'adore les araignées. »

« Je ne crois pas du tout que ce soit étrange », dit-il. « Je les admire aussi. Mais les araignées ne sont pas des insectes, vous voyez. Ce sont en fait des arachnides, un type d'arthropode. Donc, je ne pourrais jamais en mettre une dans un casier avec une cigale commune n'est-ce pas ? »

« Je suppose que non. »

« D'ailleurs, on ne peut tout de même pas emprisonner des araignées derrière du verre. On doit les laisser seules, libres de filer leurs magnifiques toiles. Ne croyez-vous pas ? » Il toucha son épaule.

Jori s'écarta brusquement, sa nervosité reprenant vivement le dessus. Mais le vieil homme n'avait rien d'autre dans son regard que de la bonté.

Elle se rappela son manque de confiance du début envers Newt. Peut-être que c'est mon problème, pensa-t-elle. Peut-être que tout le monde est parfaitement bien et que je suis paranoïaque. Pour se faire pardonner, elle affecta un intérêt pour le reste des trésors du vieil homme. « Vous avez un peu de tout ici. Des poupées, des livres anciens, des boîtes à musique… Est-ce un musée ou quelque chose du genre ? »

« Ou quelque chose de semblable », répondit-il avec un petit signe de la tête, apparemment nullement offensé par sa brève réaction. « Je suis un collectionneur passionné. »

« Mais d'où viennent toutes ces choses ? »

« Une excellente question, ma chère, mais il est difficile d'y répondre. Vous savez, je collectionne depuis un bon moment. » Son regard sembla se perdre dans le vide. « Un très long moment. »

Newt se dirigea vers eux. « Vous avez d'autres collections que celles-ci, Monsieur… ? »

« Professeur, à vrai dire. Professeur DePris. »

J'avais raison, pensa Jori. « Professeur de quoi ? »

« D'humanités, je suppose que c'est ainsi que vous l'appelez. J'étudie les gens — leurs vies, leurs luttes, leurs désirs. C'est infiniment fascinant — ma nourriture et mon breuvage, d'une certaine manière. » Il sourit à Jori, puis se retourna vers Newt. « Maintenant alors, vous posiez des questions sur les armes. Oui, j'en ai beaucoup plus qui pourraient vous intéresser, j'en suis certain. Mais d'abord, pourquoi ne nous détendons-nous pas un moment ? J'ai préparé un charmant repas. »

Il fit gracieusement un geste vers une table de bois basse installée près du foyer. Sa surface était très large, très polie, avec quatre pieds épais qui se terminaient par des pattes de lions incrustées. Mais, il n'y avait rien dessus.

Jori regarda la table vide, redevenant inquiète. « Merci pour l'offre, professeur. Mais nous ne sommes vraiment venus que pour récupérer mon sac à dos. »

« Êtes-vous certaine, ma chère ? »

« Je suis sûre. Nous devons partir. » Elle se sentit un peu honteuse devant son regard déçu. « D'ailleurs, il n'y a… rien *sur* la table. »

« Bien sûr il… » Il s'arrêta, fixant la surface de bois brillante. « Zut ! Vous avez raison. Quand même, je ne sais pas pourquoi ça me surprend autant. Il est difficile de nos jours de trouver de bonnes dessertes. » Il fit un soupir exaspéré, puis marcha vers la table et donna une bonne petite tape avec sa canne. « Dois-je toujours vous le redire ? »

Jori murmura dans l'oreille de Newt. « D'accord, on sort d'ici. Le type est soit cinglé ou… »

Elle s'interrompit, les yeux rivés sur la table. Trois plats recouverts de couvercles d'argent étaient maintenant nettement disposés sur sa surface brillante, assortis de trois services d'argenterie insérés dans des pochettes de lin impeccables.

« Oui, ma chère ? », dit le vieil homme avec sollicitude. « Avez-vous dit quelque chose ? »

Jori hocha simplement la tête. Tout ceci devenait bien trop bizarre. Newt, aussi, était silencieux.

« Dans ce cas », dit le vieil homme, « pourquoi ne nous assoyons-nous pas près de ce magnifique feu pour bavarder un peu pendant que vous profitez des rafraîchissements ? »

Jori regarda faiblement le foyer vide. « Un feu ? »

Il y eut un doux *pouf !* Et une minuscule forêt de flammes s'éleva derrière la grille. Jori sursauta. Mais elle vit un petit sourire se glisser sur le visage de Newt.

Le Professeur les escorta poliment vers les chaises. Rapidement, Newt en choisit une et s'enfonça avec un soupir dans les coussins de peluche de velours. Jori hésita, encore nerveuse. Mais la chaise ne bougeait pas, ne parlait pas, ou ne paraissait pas agir de manière inhabituelle, elle s'assit donc prudemment sur le siège voisin de celui de Newt. Les oreillers firent des contorsions pour correspondre à sa silhouette et elle poussa un petit cri. Newt rit.

Le vieil homme demeurait debout. Il semblait attendre quelque chose et les nerfs de Jori se remirent en alerte orange.

« Ne vous joindrez-vous pas à nous ? », demanda Newt.

« Bien sûr. Mais ce n'est que poli que d'attendre que votre ami arrive. »

« Quel ami ? »

« Celui qui regarde par la fenêtre. »

Jori et Newt se retournèrent vivement, juste à temps pour voir l'extrémité de mèches savamment coiffées disparaître sous le rebord.

« Derek », dirent-ils à l'unisson.

« Marisa doit lui avoir dit de nous suivre », fulmina Jori. « Pour rapporter un peu de fumier à répandre demain à l'école. »

« Oh, non », dit le professeur. « Je ne le crois pas. Je soupçonne qu'il ne fait qu'attendre d'être invité. » Il tourna la tête. « Goffer ! Puis-je te voir un moment ? »

Jori entendit des pattes qui marchaient à tâtons sur le bois poli, et le gros chien de la ruelle arriva dans la pièce en dérapant. Il bondit sur Jori, haletant joyeusement près de son visage, puis galopa vers le vieil homme, glissant pour s'arrêter à ses pieds. Sa langue lui pendait de la gueule tellement il était excité.

« Goffer », dit Newt, et la queue du chien martela le sol. « Étrange nom pour un chien, n'est-ce pas ? »

« Pas du tout. Vous voyez, il va faire[1] tout ce que je lui demande. » Le vieil homme fit un petit rire, puis se retourna vers le chien. « Goffer, il y a un jeune homme juste à l'extérieur de la fenêtre. Veux-tu s'il te plaît l'inviter à se joindre à nous ? »

La langue de Goffer se remit en place dans sa gueule avec un claquement, à la manière d'un store de fenêtre, et il bondit vers la porte. Elle s'ouvrit juste comme il s'approchait d'elle. Il y eut un cri effarouché, un sourd grognement, et quelques instants plus tard, le derrière de Goffer réapparut reculant en mouvements saccadés, en même temps que son autre extrémité tirait quelque chose.

« *Ça va !* », gronda une voix. « N'abîme pas le cuir ! J'arrive, espèce de clébard. »

Un instant plus tard, Goffer était revenu dans la pièce, son museau grimaçant de dégoût. Il était suivi par un Derek hargneux. Lorsqu'ils furent tous les deux à l'intérieur, le chien le sentit, sembla réprimer un haut-le-coeur, puis regarda le vieil homme.

« Merci, Goffer. C'était splendide. »

Goffer remua la queue. Puis, il trotta vers Jori, s'installa près d'elle, et posa sa grosse tête sur ses genoux. Finalement, succombant à son charme, Jori lui glissa un biscuit effrité qu'elle avait retiré de sa poche. Il l'avala tout rond et la regarda avec vénération.

Derek lança un regard au Professeur.

« Monsieur, je pourrais vous poursuivre. Ce chien a essayé de me tuer. »

« Oh, j'en doute, mon garçon. »

« Ouais ! Ben, regardez ces marques de morsure. » Derek tira fièrement les manches de son veston. « Marisa va se mettre en rogne. »

[1] NdT : Jeu de mots signifiant *go-fer* ou go for (aller pour).

« Ne t'inquiète pas », dit Jori. « Tu peux toujours en voler un autre. »

« Ouais ? Ben tu peux… »

« Bon, bon », dit M. DePris, « il n'y a pas eu de dommages et nos rafraîchissements attendent. M. Worsley, voulez-vous s'il vous plaît vous joindre à Jori et Nathaniel à la table ? »

Derek semblait dérouté. « Me joindre à qui ? »

« Attendez une minute », dit Jori. Elle regarda Newt, qui fixait le vieil homme. « Ton nom est Nathaniel ? »

« Quoi ? » Il lui jeta un regard distrait. « Oh… ouais. Nate, pour faire plus court. Mais la seule qui s'en est jamais servi, c'était ma mère. » Son regard se retourna vers le vieil homme. « Qui… Comment savez-vous ? »

« Pourquoi, je ne serais pas un bon hôte si je ne connaissais pas votre nom, n'est-ce pas ? C'est l'une des règles élémentaires de l'étiquette. »

« Nathaniel », répéta Derek lentement, essayant apparemment de classer le nom dans son esprit. « C'est super. »

Jori lui lança un regard meurtrier. « Si tu dis quelque chose… » Elle reconsidéra ses paroles. « Qu'est-ce que je raconte ? Ton cerveau ne peut pas traiter de mots plus longs que trois syllabes. »

« Va te faire voir ! », répondit Derek.

Le vieil homme leva la main.

« S'il vous plaît, M. Worsley, assoyez-vous. Je vous assure que Nathaniel et Jori sont tous deux de jeunes personnes intelligentes et sympathiques. »

« Il n'est pas question que je me joigne à un foutu goûter. »

« Derek », dit Jori, les nerfs en boule à cause du stress d'avoir à traiter à la fois avec lui et avec le vieil homme. « Ferme-la et *assieds-toi* ! »

La mâchoire de Derek tomba. Mais il s'effondra sur une chaise, laissant une place entre lui et Jori.

Le vieil homme rayonna à la vue des trois. « Bien, n'est-ce pas charmant ? », dit-il. Il fit un geste vers les trois plats couverts. « Maintenant, s'il vous plaît, mes amis – profitez-en. »

Jori hésita. Mais Newt, une bizarre expression revenue sur son visage, leva le dôme d'argent en face de lui. Pour quelque raison que ce soit, Jori ne put pas tout à fait distinguer ce qui venait d'être révélé. Mais Newt sourit largement, une attente muette satisfaite.

« Cuisse de dinde barbecue et épis de maïs rôtis. », dit-il. « C'est vraiment l'un de mes préférés. » Il sourit au vieil homme, puis mordit un énorme morceau de la patte de dinde que Jori n'avait soudainement plus de difficulté à distinguer.

Maintenant curieuse, elle découvrit son propre plateau. Devant elle, avec du chocolat chaud coulant sur les côtés, il y avait un triple carré au chocolat et au caramel recouvert de crème glacée au chocolat, de pépites de chocolat, et de biscuits Oréo écrasés.

« Chocolat Décadence », murmura-t-elle.

Le vieil homme fit signe que oui. « Un autre préféré, je crois ? »

Derek semblait oublier d'afficher une pose affectée. Il souleva le couvercle d'argent et jeta un regard dessous.

« Des sardines et du beurre d'arachides sur des craquelins. »

Holà ! pensa Jori. Il y a un pépin dans la programmation !

Mais Derek semblait enchanté. « Je n'en ai pas mangé depuis que j'étais petit », dit-il pour lui-même plus que pour les autres. Il saisit un craquelin, le posa sur sa langue, et mâcha lentement.

Le vieil homme se retourna vers Jori, qui n'avait pas touché sa nourriture. « Eh quoi, qu'est-ce qui ne va pas, ma chère ? N'avez-vous pas faim ? »

Bien sûr qu'elle avait faim. Mais elle n'était pas stupide non plus. Comment le vieil homme s'était-il organisé pour que ces aliments préférés soient prêts quand aucun d'entre eux ne savait même qu'il viendrait ? Comment pouvait-elle être certaine qu'on n'avait pas mis de la drogue dans le chocolat, ou bien qu'il ne masquait pas un type de poison ? D'un autre côté, pensa-t-elle, Derek et Newt n'étaient pas en convulsions sur le plancher maintenant...

« Certainement que j'ai faim », répliqua Jori, décidant de faire plaisir au vieil homme un peu plus longtemps. « J'étais seulement un peu surprise. » Elle découpa un petit morceau du carré au chocolat et y goûta. Aussitôt qu'il toucha sa langue, son corps commença à fondre de plaisir. C'était le chocolat le plus riche, le plus crémeux, le plus ahurissant qu'elle n'avait jamais goûté.

Elle était bientôt la seule à manger. Newt s'étalait sur sa chaise, ses yeux s'abaissant, un sourire satisfait sur son visage. La tête de Derek était affalée contre le coussin, la queue d'une sardine encore visible au coin de sa bouche. Les apercevant, Jori s'arrêta au milieu d'une bouchée.

Elle lança un regard à M. DePris, qui fouillait dans le tiroir d'un vieux bureau à cylindre. Elle déposa une cuillerée du dessert dans sa serviette de table et la plia à demi. Un gros morceau de chocolat s'échappa et tomba sur le plancher, mais Goffer le goba immédiatement. Jori s'enfonça dans les coussins, et ses yeux se fermèrent à demi.

Elle observa le vieil homme revenir vers le foyer, un petit sac de velours serré dans sa main. Il regarda ses invités silencieusement, puis s'installa dans la seule chaise vide, chantonnant doucement.

« N'est-ce pas charmant », dit-il, « de se réunir autour d'un foyer aussi accueillant et un repas satisfaisant et une conversation agréable ? » Jori vit que Newt hochait la tête d'un air endormi.

« Mais, continua le vieil homme, ce à quoi je tiens beaucoup, même plus qu'une conversation, c'est une bonne histoire. Et en toute modestie, je dois dire que je suis une sorte de fileur de contes. Souhaiteriez-vous en entendre un ? » Jori, qui était vaguement consciente que ses yeux s'étaient fermés, fut surprise de se sentir hocher la tête.

« Merveilleux. Donnez-moi juste un moment pour créer le climat. » Jori se força encore une fois à ouvrir les yeux, juste à temps pour voir la main droite du vieil homme se déplacer en un léger demi-cercle, les yeux appuyés gracieusement près de sa paume. Les lampes de verre coloré s'atténuèrent, laissant la pièce dans un agréable demi-jour.

Il glissa ses doigts sur le sac de velours et en sortit une poignée de cristaux étincelants. Puis, il les jeta dans le foyer. Bientôt, les flammes s'élancèrent avec des étincelles de rubis rouge sang, saphir bleu océan foncé, et riche vert émeraude. Une bouffée chaude réconfortante circula sur la peau de Jori, et elle sentit la fragrance douce des vertes nuits de printemps et des brises lavées par la pluie.

« Et maintenant », dit le vieil homme, s'appuyant sur sa chaise. « Je vous filerai une merveilleuse histoire. Une histoire que vous connaissez, mais que vous n'avez jamais entendue»

« Ce n'est pas possible », murmura Jori.

« Êtes-vous certaine, ma chère ? », demanda le vieil homme, la regardant avec curiosité. « Moi-même je ne suis jamais certain de ce qui est possible. » Il fit une pause, et Jori observa les flammes qui commençaient à tourbillonner hors du foyer, pour venir les encercler.

« Regardez le feu, mes jeunes amis. » La voix du professeur était aussi douce et apaisante que la neige qui tombait sur l'eau. « Regardez... et rêvez... et vous commencerez à voir mon histoire. »

CINQ
LE FEU DES RÊVES

La chaise confortable de Jori commença à se bercer et à zigzaguer, le plancher dessous ondulant comme des vagues sur une mer silencieuse. Autour d'elle, la pièce prit de moins en moins d'importance, se diffusant dans des flots de couleurs qui ondulaient et tournaient en spirales comme des huiles teintées dans un kaléidoscope. Une brise fraîche dansa dans ses cheveux, et elle leva les yeux pour découvrir que le plafond avait disparu, remplacé par un enchevêtrement d'étoiles dans un firmament que la lune effleurait.

Elle s'éleva doucement de sa chaise pour atteindre les étoiles qui tournaient autour d'elle dans une danse complexe. Puis, une chanson étrange se fit entendre près d'elle, se glissant doucement dans son cerveau.

Chantez vos chansons et rêvez vos rêves
Cherchez les désirs de votre cœur
Entendez les murmures de votre âme
Réchauffez-les près du feu.

Captivée par la mélodie, Jori baissa les yeux et vit son propre corps pelotonné sous elle dans la chaise. Elle pouvait aussi voir Newt et Derek, emmitouflés dans le sommeil. Ensuite, elle découvrit la source de la musique.

C'était le vieil homme, bien sûr, sa voix aussi envoûtante que le joueur de flûte d'Hamelin.

Dessinez-les pour que tous voient
Les secrets partagés les plus profonds
Ils seront le cadeau que vous m'offrirez
Offert en toute inconscience...

« Continuez », murmura-t-elle, les mots se formant à travers le sommeil.

Pendant un moment, il n'y eut pas de réponse.

« Avez-vous dit quelque chose, ma chère ? »

« Offert... en toute inconscience. Inconscience... de quoi ? »

« Rien, ma chère. C'était une chanson sans fin. Je ne connais jamais les fins. »

« Mais... »

« Dormez, ma douce. Dormez si vous voulez entendre l'histoire. »

Les étoiles dessinèrent une spirale dans l'obscurité. Bien sûr, qu'elle voulait entendre l'histoire. Elle avait toujours voulu écouter des histoires, même si elle venait tout juste d'avoir huit ans et qu'elle était bien trop vieille pour les contes de fées. Elle s'assit les jambes croisées sur son lit, se tortillant avec bonheur alors que son père sortait de l'étagère le livre bien-aimé.

Près d'elle, Lisa sautillait sur le matelas, ses nattes rebondissant. Jori tira d'un coup sec l'extrémité de sa chemise de nuit.

« Attention, Lisa », murmura-t-elle avec une terreur feinte. « Le voici qui arrive ! » Lisa s'effondra à côté d'elle, riant et tenant fermement la nouvelle licorne ailée qu'elle venait tout juste de recevoir pour son anniversaire. Un instant plus tard, leur père, hurlant à la manière de Tarzan, fondit entre elles, et lança une infâme attaque de chatouillements. Elles hurlèrent de rire, martelant ses épaules, haletantes, et demandant grâce. Soudain, il se redressa.

« D'accord, d'accord, c'est assez. Un grand acteur comme *moi*[1] ne peut se concentrer si l'auditoire se comporte de cette manière. Malgré que je puisse peut-être me laisser persuader si quelqu'un me serrait bien fort dans ses bras. » Elles se jetèrent dans ses bras et le serrèrent, tandis qu'il déposait un baiser sur le dessus de chacune de leur tête. Puis il ramassa le livre, posa une main sur sa poitrine, et éclaircit quatre fois sa voix.

« *La vallée secrète* », annonça-t-il pompeusement. Sa voix s'adoucit. « Dans la plus verte des forêts vertes d'Avendar, vivait un loup solitaire… »

Jori écoutait son père pendant qu'il lisait, adorant sa voix profonde et grondante encore plus qu'elle n'aimait l'histoire. C'était son livre préféré, un trésor où il y avait à la fois des loups et des licornes. Lorsqu'elle fermait les yeux, elle pouvait imaginer chaque fabuleux détail.

« Cela semble tellement joli », dit Lisa, rêveuse. « Papa, peux-tu nous y emmener un jour ? »

« Un jour ? Pourquoi pas maintenant ? » Il marcha à grandes enjambées à travers la pièce, se dirigea vers l'armoire, ouvrit brusquement la porte et balança son bras le pointant vers l'ouverture. Le lever du soleil se répandit dans la pièce, en même temps que les éclats de rire des chutes

[1] NdT : En français dans le texte original anglais.

d'eau. Lisa attrapa la main de Jori, la poussant vers l'embrasure de la porte.

Ils émergèrent à l'extrémité d'une forêt chuchotante, leurs pieds crissant sur les feuilles tombées, couleur de bonbon à l'érable. L'air était délicieux et sentait la menthe, et un ruisseau clair giclait des bois avoisinants. Soudain, Lisa tapa les mains.

« Jori, regarde ! C'est ça ! »

De l'autre côté d'un pré ambre, au-delà des montagnes bleu velours, une magnifique montagne de cristal atteignait joyeusement les nuages.

« Viens », haleta Lisa. Elles se précipitèrent vers la montagne, les bras étendus comme des ailes pour pouvoir frôler les extrémités duveteuses des herbes. Le cœur de Jori battit plus fort alors qu'elles atteignaient les douces pentes des montagnes, qu'elles montèrent en courant sur les côtés et que, fascinées, elles atteignirent le sommet.

La vallée était là devant elle comme un cadeau. Des amas de trèfles roses couvraient ses versants, et une mer de crocus blancs et de lavandes pâles ondulait le plancher de la vallée. Des courants de la montagne de Crystal descendaient des sommets transparents, se déployant en des arcs-en-ciel de brume sur les rochers plus bas.

Et partout, absolument partout, il y avait les licornes.

Elles remplissaient la vallée, magnifiques créatures chevalines qui semblaient sculptées dans de l'ivoire vivant. Des crinières blanches brillaient comme des gouttelettes marines au-dessus de leurs cous en forme d'arches, et leurs cornes étaient de brillants éclats de rayons de lune. Sur chacun de leur menton, flottait une barbe soyeuse, et des touffes de plumes cachaient presque leurs sabots fendus.

Jori et Lisa commencèrent à descendre la colline et les licornes hennirent des souhaits de bienvenue résonnants. Mais quelque chose pénétrait le champ de vision de Jori, et elle leva la tête, inquiète. Un nuage noir s'élevait derrière la montagne, montant sur ses flancs, bloquant la lumière. Les flots s'abattirent sur la falaise auparavant brillante, et l'obscurcirent. Pendant que Jori observait horrifiée, ils s'infiltrèrent dans le pré, contaminant les pelouses le long des massifs et faisant surgir l'odeur nauséabonde de la mort. Jori chercha à prendre la main de sa sœur.

Lisa n'était plus là.

« Non ! », gémit Jori. « Pas encore ! »

Un éclair de lumière la fit sursauter, et elle vit un énorme loup argenté qui se tenait silencieusement à quelques pieds d'elle. Ses yeux sombres captèrent les siens et soutinrent son regard, et pendant un instant, elle oublia son angoisse. Puis, la vallée elle-même s'évanouit, et Jori se retrouva flottant à plusieurs pieds au-dessus de son propre corps endormi. Les deux garçons demeuraient aussi endormis. Même Goffer était étendu à côté d'elle, ronflant.

Quelque chose d'autre avait attiré son attention. Des semblants de formes planaient au-dessus de chaque personne endormie, des images fantomatiques chatoyant dans la faible lumière. Par-dessus la tête de Newt, deux épées de chevalerie lancèrent des éclairs et la silhouette d'un homme puissant se tenait là, au sommet d'une colline. Au-dessus de Derek se tenait la forme d'une mince et magnifique jeune femme. Elle était enveloppée de vêtements dorés et portait une sorte de couronne.

Les bandes dessinées Amazon, pensa Jori. Ou peut-être une vedette de porno.

Elle entendit un doux yip et regarda le chien. Même Goffer avait ses fantômes. Au dessus de sa tête, il y avait des biscuits et un lapin et… Jori plissa les yeux. Cela ressemblait à une photographie d'elle.

Le vieux professeur était assis, immobile sur sa chaise, fixant les images flottantes. « Exquis », murmura-t-il. « Et cela a valu la peine d'attendre. N'êtes-vous pas d'accord, ma mignonne ? »

Jori frissonna. À qui parlait-il ? Comme elle regardait, quatre jambes fines s'étirèrent de la poche de son chandail, attachées à un corps presque transparent. D'un doigt, il la caressait d'un ton absent. « Vous ferez des merveilles avec ceux-ci, n'est-ce pas mon amie ? »

Son regard se balada vers Jori. Il sursauta, son corps se tendant, comme s'il savait qu'elle avait vu. Les longues pattes se contractèrent nerveusement dans sa poche. Mais ensuite, il se détendit et sourit, faisant un petit signe de la main dans sa direction. Les vertiges revinrent, et elle plongea à nouveau dans une obscurité agréable et sans rêves.

Beaucoup plus tard, elle se réveilla au contact d'un nez mouillé – Goffer se blottissait contre sa main. Newt et Derek étaient éveillés aussi, mais ils étaient assis immobiles et leurs regards fixaient le vide. Le foyer continuait à craquer joyeusement, et le vieil homme attendait patiemment dans sa chaise.

« Bien », dit-il finalement, son sourire quelque peu malicieux. « Avez-vous tous aimé l'histoire ? »

Newt leva les yeux, une question sur son visage. « Ouais. J'ai aimé. » Il fit une pause. « C'était... à propos d'une bataille, n'est-ce pas ? »

« Non », murmura Derek, ses yeux verts fiévreux. « C'était... » Il s'arrêta, ses yeux se rétrécissant, puis se réfugia dans le silence.

Jori mordit sa lèvre inférieure, un nœud se formant dans son estomac. Il semblait qu'ils avaient chacun entendu ou vu quelque chose de différent. Elle essaya de cacher sa nervosité grandissante, mais M. DePris capta son regard, et la regarda d'un air entendu. Puis il fit un clin d'œil.

« Bien, maintenant. Je crois que Jori soupçonne que mon humble divertissement est un peu plus élaboré que je ne l'avais laissé entendre. Et à la vérité, je dois vous faire une confession. » Il se pencha vers l'avant, posant son menton sur des doigts en forme de flèches. « Les histoires partagées autour de ce feu ne sont pas du tout les miennes. »

« Que voulez-vous dire ? », demanda Newt.

« Pensez-y un moment. Est-ce qu'elles ne vous ont pas toutes semblé familières ? »

Comme un album de mes souvenirs, pensa Jori. Elle vit le regard de Newt se retourner à l'intérieur de lui, comme s'il regardait un film dans sa tête.

« C'était quelque chose que j'ai imaginé une centaine de fois », dit-il finalement. « Mais comment avez-vous... ? »

« C'est plutôt difficile à expliquer », dit le vieil homme. « Mais il y a longtemps, pendant mes études, j'ai appris un précieux secret. Avec simplement la bonne combinaison d'ingrédients – nourriture pour le corps, chansons pour le cœur, lumière et chaleur pour l'âme – on peut libérer les plus profonds secrets de la seule chose qui reste, l'esprit. »

Jori comprit soudainement. « Vous voulez dire nos rêves. »

« Petite maligne. Oui, ma chère. Vos rêves. »

Le visage de Derek se tordit dans son sourire méprisant habituel.

« Des rêves. Bon. Tout ça, c'est de la blague... »

« Tais-toi, Derek », dit Newt, surprenant Jori. « Pourquoi n'essaies-tu pas de *ne pas* être un connard pendant deux minutes ? » Les deux garçons sautèrent sur leurs pieds et se regardèrent fixement. La main droite de Derek se replia pour former un poing.

Le vieil homme se leva, murmurant d'un ton apaisant. « Bon, bon. Je ne suis pas offensé Nathaniel, alors ne t'en fais pas. Derek est simplement un jeune homme qui connaît la valeur d'une expression sans retenue. N'est-ce pas ça, Derek ? »

« Certainement », dit Derek, regardant encore Newt de travers. « N'importe. »

« De toute façon, il y *a* bien plus que tout cela. Ce que je vous ai montré n'est que le début. À l'étage, vous verrez ma plus belle collection, et mon plus grand trésor. Voulez-vous la voir ? »

Derek ne répondit pas, mais son poing se détendit et il pivota en s'éloignant de Newt. À la grande consternation de Jori, Newt réagit aussi. C'est alors qu'elle vit ses yeux. Ils brillaient d'excitation — de l'excitation, et un espoir presque désespéré.

Ce n'est *pas* rassurant, pensa Jori, se sentant mal à l'aise. La maison étrange, les questions à moitié répondues. Le comportement bizarre de Newt — tout ceci était trop troublant. Et maintenant, devait-elle simplement suivre le vieil homme à l'étage, dans une certaine pièce, et le laisser faire, de sorte qu'on les retrouve dans les manchettes le jour suivant ?

« Il est pas mal tard », dit-elle. « Ma mère sera bientôt à la maison. »

Derek fit un sourire méprisant. « Oh. Et est-ce que Maman va s'inquiéter ? »

« Ouais, elle va s'inquiéter. Les mères sont comme ça. Ou bien n'y a-t-il pas de mère à l'endroit où vous et le reste des déchets de marée vivez ? »

Le vieux professeur interrompit. « Maintenant, les amis, nul besoin de se quereller. Jori, vous avez assez raison, ma chère. Il *se fait* tard, et nous ne devrions pas causer la moindre inquiétude à votre mère. Pas avec ce qu'elle vient de traverser. »

« Attendez. Comment savez-vous... »

« Il ne faut pas non plus nous hâter pour que vous voyiez ce que je veux vous montrer », continua-t-il d'un ton doucereux. « Vous pouvez toujours revenir une autre fois. »

Le nœud dans l'estomac de Jori finit par se desserrer. Mais Derek donna un coup de pied sur une patte de chaise, et Newt ne la regardait pas. Ses mains étaient serrées sur ses côtés.

Seul M. DePris ne sembla pas troublé. « Alors. Quand puis-je m'attendre à vous revoir ? »

« Si on revenait demain ? », dit Newt, avant que Jori ne puisse reprendre son souffle.

« Demain ? Demain, ce serait parfait. J'ai hâte de vous revoir. » Il fit une pause… « Aussi… bien, je sais que cela semblera un petit peu bizarre, mais puis-je vous demander une faveur ? »

« Certainement », dit Newt. « De quoi avez-vous besoin ? »

« Bien, vous savez maintenant quel collectionneur passionné je suis. Et les choses que je chéris le plus sont, pour la plupart, des cadeaux de mes amis, des morceaux de leurs vies qui reflètent qui ils sont. Vestiges de mes années de recherche, je suppose. Donc demain, quand vous reviendrez, pouvez-vous chacun m'apporter un souvenir quelconque ? Quelque chose qui raconte ce que vous êtes, ou peut-être, ce que vous rêvez de devenir ? »

Quelle requête étrange, pensa Jori. Mais elle vit que Newt faisait signe que oui et que Derek haussait les épaules de manière évasive.

« Charmant », dit le professeur. « Merci à vous tous de gâter un vieil homme. » Goffer grimpa soudainement près de lui, sa queue frétillant fièrement en même temps qu'il présentait à Jori un objet qui pendillait dans sa gueule.

« Ah, oui », dit M. DePris. « Il ne faudrait pas oublier votre sac à dos. »

SIX
L'ÉTAGE AU TRÉSOR

La porte du cottage se ferma en claquant derrière eux. Derek se dégagea brusquement et il se précipita vers la ruelle. Mais juste avant qu'il n'atteigne le mur de pierres, il s'arrêta.

« Écoutez », dit-il. « Je veux voir ce que le vieux chnoque peut bien avoir en haut. Alors, je reviendrai demain aussi. »

Jori se croisa les bras.

« Tu as envie de voler quelque chose, Derek ? »

Il l'ignora. « Arrangez-vous pour la boucler, tous les deux, sur ce qui est arrivé. Peu importe ce que le vieux possède... je ne veux pas que personne d'autre ne le découvre. » Il disparut à travers la porte du jardin.

« Gentil type », dit Newt. « Je me demande sous quelle pierre il habite. »

Pendant quelques minutes, les deux marchèrent en silence. Puis Newt la regarda.

« Alors. Qu'est-ce qu'il y a ? À part Derek, je veux dire. »

« Je ne suis pas certaine. Je suppose que c'est juste que tout est trop bizarre à cet endroit. La porte, le jardin. Ce petit goûter venu de nulle part. Et ce qui est arrivé autour du feu. »

« Ouais, c'était bizarre. Mais bien plus intéressant que le câble et l'Internet, non ? »

« Je l'ignore. Peut-être suis-je un peu paranoïaque depuis les derniers mois. »

Newt s'arrêta net.

« Je suis abruti, Jori. J'avais oublié à propos de ta sœur. »

« Ça va. »

« Non, tu as raison. Regarde, nous ne sommes pas obligés d'y aller demain, si tu ne le veux pas. »

Jori ressentit une bouffée de soulagement. Mais lorsqu'elle regarda Newt, elle vit que son expression ne correspondait pas à ses paroles. Elle lutta pendant un moment, tentant d'analyser son propre inconfort. Il y avait sans conteste quelque chose de bizarre à propos du vieil homme et de sa maison. Mais était-ce vraiment dangereux ? Elle réfléchit un long moment, puis visualisa tout autrement la maison trop tranquille où elle devrait se rendre, et le sourire de mannequin de sa mère.

« Je suppose que le vieux type est assez inoffensif. Je veux dire, je ne crois pas que nous finirons enterrés dans son sous-sol ou quoi que ce soit. »

« Excellent ! » Newt se reprit. « Je veux dire… euh, au moins, c'est quelque chose de différent. »

L'après-midi suivant, Jori se trouva donc, malgré elle, à marcher à travers les petites rues pour la troisième fois en autant de jours. En fait, elle devait presque piquer un sprint, étant donné que Newt semblait se servir de chaque centimètre de ses longues jambes pour couvrir la distance vers la maison du vieil homme aussi rapidement que possible.

« Dis donc, Newt », dit-elle, tentant de le ralentir. « Montre-moi ce que tu as apporté pour la collection du vieux. »

Il sourit, puis tira une ancienne boîte de DVD de sa poche. Sur le dessus, il y avait une image d'un guerrier aux cheveux longs, debout sur un champ de bataille, ensanglanté.

« *Coeur Vaillant* », dit Newt. « C'est l'histoire d'un type nommé William Wallace. Défenseur de la liberté, sauveur de l'Écosse. »

« Je sais. Ma mère l'a déjà loué. Donc, c'est ton objet préféré ? »

« Bien sûr. » Il se pencha près d'elle, murmurant : « Regarde, j'essaie de ne pas en parler, mais je *suis* William Wallace, réincarné. Permets-moi de te faire une démonstration. »

Il ramassa une antenne d'auto rouillée et s'accroupit très bas, scrutant la ruelle avec méfiance. Un moment plus tard, il poussait un cri de guerre sauvage et bondissait sur une poubelle à proximité. Atteignant le contenant apparemment hostile, il l'attaqua brutalement, frappant et cinglant, ne témoignant d'aucune pitié jusqu'à ce que l'objet soit étendu sur le côté, ses entrailles de déchets répandues sur le pavé mouillé.

Jori applaudit, et Newt inclina la tête. Il rejeta l'antenne sur le sol et regarda à nouveau son DVD. « Vraiment, j'adore ce truc. Les gens qui se battent pour une cause, et qui sont désireux de mourir pour ce à quoi ils croient. Mais bien sûr, Wallace est un vrai héros — fort, déterminé, sans peur. En d'autres mots, l'opposé de moi. »

Il s'arrêta, le visage un peu rouge. « Viens », dit-il. « Je ne veux pas que le vieux s'inquiète. »

Lorsqu'ils atteignirent la porte de bois qui gardait l'entrée du jardin, la douille de métal grinça en s'ouvrant sans que Jori eût même à frapper.

« Bien, bonjour encore une fois ! », dit la porte, son oeil de verre étincelant. « Vous devenez des habitués, n'est-ce pas ? »

« C'est votre a-*door*-able[1] personnalité », dit Newt. « Comment pourrions-nous résister ? »

« Il y a tout de même de l'espoir pour vous, garçon », glousa la porte. Elle clignota et s'ouvrit sur le jardin.

Comme par un autre tour de magie, Derek se matérialisa à côté d'eux.

« Hé », dit-il, d'un air gêné.

« Hé », répondit Newt. Jori ne se donna pas la peine de répondre et marcha en avant.

La porte du cottage était déjà ouverte. Goffer attendait, juste à l'extérieur de l'entrée, la queue frétillante et les yeux collés vers la poche de Jori.

« Ouais, j'ai pensé à toi », dit-elle et elle sortit la moitié d'un sandwich qu'elle avait préservée depuis le lunch. Le chien l'engouffra, se tint sur ses pattes de derrière, et lui lécha le visage. Souriante, elle le força à redescendre.

« Merci, gros chien. Mais la prochaine fois, ne fais que me donner la patte. »

Goffer frétilla joyeusement, puis les escorta à l'intérieur où M. DePris était assis tranquillement près du foyer. Goffer aboya, et le vieil homme se retourna.

« Mes chers amis ! » Son visage était illuminé de plaisir. « Et Jori, je suis spécialement heureux de vous voir, ma chère. »

Pour une raison ou pour une autre, elle frissonna en voyant qu'il la distinguait des autres.

[1] NdT : L'auteure fait ici un jeu de mot avec « door » (porte).

« Maintenant, s'il vous plaît, venez vous réchauffer près du feu. Je commanderai vos rafraîchissements. » Il se pencha sur la table de service, tapant une fois sur la surface de bois foncé. « Seriez-vous assez bonne… »

« Je n'ai pas faim », dit Derek.

Le vieil homme se montra perplexe.

« Étonnant. Je croyais que la faim était une condition perpétuelle chez les jeunes hommes. »

« Habituellement, ça l'est », dit Newt, bondissant comme si lui et Derek avaient planifié le dialogue. « Mais nous avons mangé quelque chose en chemin. » Jori inclina la tête en entendant le mensonge, puis elle vit les yeux de Newt se diriger vers l'escalier tout près, montant en courbe dans l'obscurité.

Soudainement, elle comprit. Et le vieil homme aussi.

« Ha… Bien sûr ! Vous avez simplement hâte de voir mon trésor. » Il tendit le bras pour prendre sa canne, puis se tira de la chaise. « Je ne vous blâme pas d'être impatient — après toutes ces années, cela fait encore battre mon cœur. S'il vous plaît, mes amis, suivez-moi. » Souriant, il les conduisit vers l'escalier et commença à monter. Newt était presque sur ses talons, Jori et Derek traînant juste derrière.

Soudainement, Goffer se fraya un chemin devant Derek et se plaça devant Jori. Il poussa sa tête contre sa jambe, gémissant.

« Désolée, Goffer », dit-elle, se penchant et caressant ses oreilles d'une façon espiègle. « Je n'ai plus de nourriture pour toi. »

Le vieil homme se retourna, baissant les yeux vers eux. Il ne souriait plus. Jori se redressa, ayant l'impression que soit elle ou le chien devait avoir fait quelque chose de mal. « Maintenant, Goffer », dit-il finalement, « tu sais que tu n'as pas le droit d'aller au second étage. »

Goffer geignit doucement. Puis, il frotta son museau contre la main de Jori, et redescendit les escaliers la queue basse.

« C'est un bon chien », dit le professeur, « mais il est responsable de plus que sa part de linge de maison déchiré et de vases brisés. » Il recommença à sourire, et grimpa de nouveau vers l'obscurité.

Jori entendit une expression de surprise venant de Newt. Elle leva les yeux, et vit que les escaliers débouchaient sur une impasse, au plafond — mais que la moitié du vieil homme était déjà disparue à travers le bois. Tout ce que l'on voyait, c'était ses jambes, qui continuaient à grimper.

Newt rit doucement. « Bon. Okay. » Dit-il. « Pourquoi pas ? » Il continua à monter l'escalier, et bientôt, tout comme le vieil homme, commença à disparaître à travers les planches de bois.

Jori regarda fixement, la bouche ouverte. Non, non, c'était insensé. On aurait dit que le vieil homme se débarrassait de la réalité, une couche à la fois. Les préparant pour… quelque chose.

« D'accord. C'est assez. » Elle essaya de battre en retraite, mais recula sur Derek, dont les bras étaient étirés d'une rampe à l'autre.

« Oublie ça, Jori. Si tu pars, alors le vieux descendra pour voir ce qui est arrivé. Ce qui veut dire que je ne pourrai vérifier ce qu'il a en haut. Et ça me rendra vraiment malheureux. » Il la fixa d'un air de défi en la regardant droit dans les yeux.

Jori lui relança son regard. Mais alors, elle se rendit compte qu'elle ne pouvait tout simplement laisser Newt en haut pour… elle ne savait pas quoi encore. Non, pas après avoir été celle qui l'avait en premier entraîné dans cette maison. Sans un mot de plus, elle se retourna, ferma très fort ses paupières, et se précipita pour monter les prochaines marches. Elle sentit quelque chose presser sa tête, puis se dissiper et glisser le long de son visage et de ses bras.

Quand elle ouvrit finalement les yeux, elle était arrivée au second étage. Au moins, la moitié supérieure de son corps y était arrivée. Elle sentit une poussée impatiente sur son derrière ; elle frappa de ses pieds jusqu'à ce qu'elle atteigne quelque chose. Montant rapidement sur le plancher, elle se tourna à temps pour observer Derek qui se matérialisait à travers le bois, frottant sa tête et prenant un air renfrogné. Mais alors ses yeux verts s'éclairèrent d'intérêt.

Newt et le vieil homme attendaient, à quelques pieds de là, près d'une porte tachée d'un rouge rouille foncé, recouverte d'un vernis d'une allure presque métallique. Au centre, une mosaïque de minuscules pierres colorées formait un étrange symbole que Jori n'avait jamais vu auparavant — deux cercles reliés, un large et un petit, et quatre lignes disposées en angle s'étirant de chaque côté du plus petit.

« Donc, c'est ici que vous la gardez ? », demanda Derek

« Oui. » Le vieil homme regarda ses trois invités avec affection. « Et maintenant, si vous voulez me faire plaisir — je dois vous demander de fermer les yeux. »

Derek grogna, et les épaules de Jori se tendirent. Mais ils firent tous ce qu'il demandait. Le silence les enveloppa, et Jori entendit la porte s'ouvrir dans un murmure. De nouveau, elle ressentit une chaleur réconfortante circuler autour d'elle, respirant la senteur fraîche et propre de la pluie. Une main effleura sa joue, et elle sursauta.

« Qu'est-ce que… »

« Cchhut », dit le vieil homme, sa voix se modifiant dans le même ton mélodique de voix qu'il avait utilisé autour du feu. « Détendez-vous, simplement. Respirez profondément. Laissez vos pensées s'abandonner librement. Car, dans cette pièce, se trouve un trésor extraordinaire, au-delà de ce que vous pouvez imaginer. Mais votre cœur doit le désirer vivement, et votre esprit doit le vouloir. »

Jori se détendit, juste un peu, et sentit une poussée étrange dans la direction de la porte ouverte. Elle entendit des pas hésitants, alors que les garçons étaient guidés vers la porte. Puis, elle sentit les mains du vieil homme sur ses propres épaules, la conduisant vers l'avant.

« Maintenant, ouvrez vos yeux, mes amis. Voyez mon trésor. »

Au début, Jori se dit qu'elle ne devait pas lui obéir. Mais alors, elle entendit la voix de Derek, s'échappant de ses dents serrées.

« Qu'est-ce que c'est que ça ? Êtes-vous en train de *rire* de moi ? »

Jori ouvrit les yeux.

Ils étaient debout dans une grande pièce, faiblement éclairée par un globe ivoire qui flottait juste sous le plafond. Mais cette pièce n'avait ni chaises confortables, ni cabinets de chêne, ni collections fascinantes. Tout ce que Jori pouvait voir, c'était des planchers de bois rude et des murs nus recouverts de plâtre. Une tenture épaisse, ressemblant à un tapis, couvrait entièrement un des murs.

« C'est de la foutaise », murmura Derek. « J'ai laissé tomber Marisa pour venir fixer un tapis. »

Newt le regarda dégoûté, même si sa propre déception était évidente. « Ferme-la, Derek. Certains tapis ont vraiment de la valeur, comme... »

« Un tapis. » La voix du vieil homme devint monocorde et glaciale, et Jori se retourna pour constater que des ombres sombres parcouraient son visage. « Est-ce que c'est tout ce que vous voyez ? »

Elle ressentit une peur soudaine. Stupide, qu'elle était stupide — elle n'aurait jamais dû revenir ici ! La moitié des psychopathes de la terre ont probablement l'air inoffensif jusqu'à ce que vous poussiez le mauvais bouton.

Se précipitant vers le mur, elle se dépêcha de trouver quelque chose de positif à dire, une certaine manière de le calmer avant qu'il ne devienne violent. « Ce sont des débiles, Professeur. Ne vous en préoccupez pas. C'est magnifique, vraiment ! C'est... »

Elle s'arrêta, fixant. Puis soudain, elle oublia de respirer.

Ce qui était suspendu sur le mur devant elle — une tapisserie, se souvenant soudainement comment on nommait ce type de choses — était très différent de ce à quoi elle s'attendait. Ses fils brillaient comme s'ils étaient formés de bijoux et tissé à l'intérieur de son motif, il y avait une centaine de scènes remplies de détails exquis. Mais c'était plus que de l'art ou un travail superbe qui rendait cette tapisserie différente.

Les images étaient vivantes.

Où s'étaient rivés les yeux de Jori, les arbres se balançaient vraiment, dans une douce brise, et de minuscules lézards ailés sautillaient dans les branches. Très haut au-dessus de la voûte de la forêt, des dragons conduits par des humains zigzaguaient à travers un amas de nuages, des flammes rubis flamboyant de leurs gueules.

Elle sentit que Newt et Derek se dirigeaient vers elle, mais en ce moment, elle était trop perdue dans les images pour leur parler. Dans une scène, des bateaux voguaient sur des mers déchaînées, leurs capitaines cherchant la ville submergée d'Atlantis qui brillait dans les eaux sombres plus bas. Dans une autre, une bande de guerriers déterminés déambulaient à travers un labyrinthe meurtrier de tunnels, une image qui rappela à Jori un jeu vidéo avec lequel elle avait joué un jour. Plus haut encore sur le tissu, sur un paysage violet et vert, des créatures tachetées munies de trois cornes galopaient sous la lumière de lunes jumelles.

« C'est... incroyable », murmura Jori.

« Oui. Ce l'est. » M. DePris se tint juste quelques pas plus loin, sa voix redevenue douce. « Veuillez accepter mes excuses pour ma réaction tout à l'heure. Je suppose que je suis beaucoup trop sensible quand il est question de cette pièce particulière. » Ses yeux se promenèrent sur la tapisserie. « C'est magnifique, n'est-ce pas ? Et aussi changeant que les rêveurs qui la rêvent. »

La phrase bizarre dérangea Jori. « Que voulez-vous dire, « les rêveurs qui la rêvent » ? »

« Je suis surpris, ma chère. Je croyais que vous, au moins, auriez deviné. »

Elle hocha la tête, ses yeux maintenant pourtant la question.

« Ma tapisserie ne ressemble à aucune autre. Les autres sont de pauvres créations de fils et de soie, qui moisissent dans des coffres ou ramassent la poussière dans des musées. Mais celle-ci est tissée d'une étoffe beaucoup plus précieuse. »

« De quoi ? » murmura Jori.

« De rêves. »

Elle sursauta, puis regarda les deux garçons. Newt semblait presque hypnotisé par ce qu'il entendait. Mais le visage de Derek était assombri par la frustration.

« Vous savez quoi ? », dit-il. « Si je décide de regarder des hallucinations, j'achèterai des bonbons hallucinants et je verrai par moi-même. »

M. DePris fit un petit bruit sec avec sa langue. « Et vous faire prendre des risques ? De plus, pourquoi seriez-vous satisfait en ne faisant que regarder vos rêves ? »

Derek regarda comme si sa tête allait éclater. Mais le visage de Newt prit une expression presque désespérée. « Expliquez-moi ce que vous voulez dire. »

« N'avez-vous pas remarqué ? » Le vieil homme fit un geste vers une section terne du tissu d'où les couleurs semblaient avoir été purgées. « La tapisserie n'est pas tout à fait complète. Elle ne l'est jamais. »

« D'accord. Et après ? »

« Et après. C'est ici que nous tisserons *vos* rêves. Et ensuite, vous irez dedans et vous les vivrez. »

SEPT
DANS LA TAPISSERIE

« Vivre nos rêves ? » Newt fixait la tapisserie, et Jori se rendit compte que rien n'existait pour lui à présent, sauf les images mouvantes et le vieil homme. « Mais… comment ? »

« C'est assez simple, vraiment. C'est simplement une question d'habileté, de talent artistique et d'imagination. Vous fournissez l'imagination. Mon amie et moi fournirons le reste. »

Amie, pensa Jori, regardant les ombres d'un air nerveux. Qu'y a-t-il de caché ici ?

Mais M. DePris ouvrit simplement la poche de son chandail et regarda dans l'ouverture. « Arachnea, ma chère, pourriez-vous sortir, s'il vous plaît ? »

Une longue patte mince sortit de la poche. Puis une autre. Et une autre. Et cinq autres. Toutes se déplaçant en arcs gracieux et languissants, attachées à un corps presque transparent. Lorsque l'araignée eut émergé complètement, elle grimpa jusqu'à l'épaule droite du vieil homme et s'y installa. Jori comprit soudain ce que signifiait le symbole sur la porte rouge.

« Ceci », dit le vieil homme avec respect, « c'est Arachnea. C'est peut-être la plus brillante fileuse que j'ai eu la bonne fortune de connaître. C'est elle qui est responsable de ce que vous voyez dans ma tapisserie. »

« Attendez une minute », dit Jori, essayant désespérément d'injecter quelque semblant de réalité. « Vous vous attendez à ce que l'on croie que l'araignée a tissé toute cette chose ? »

« *Est-ce que vous doutez de mes habiletés, humaine ?* » Jori mit une main sur une oreille. La voix semblait venir de l'intérieur de sa tête. Elle fixa l'araignée, surprise, et remarqua que les garçons demeuraient bouche bée eux aussi.

« Non non, Arachnea », dit le vieil homme, apaisant sa compagne en la flattant du doigt. « Ne sois pas offensée. Cette fille est de fait une grande admiratrice des araignées. Mais rappelle-toi, tu es unique. Pourquoi ne se poserait-elle pas de questions sur ce qu'elle voit. »

« *Une admiratrice. C'est vrai, ma fille ?* »

« Oui », dit Jori à contrecoeur, essayant d'arriver à comprendre comment il était possible qu'elle soit en train de converser avec une araignée.

« *Intéressant. Traditionnellement, l'interaction araignée-humains a été assez désagréable, se terminant souvent par une vilaine tache sur un mur.* »

« Je ne ferais pas ça. » Intriguée malgré elle, Jori tendit sa main, près de l'épaule du vieil homme. Arachnea hésita, puis voltigea vers l'avant et sauta sur la paume ouverte de Jori, ses six yeux brillants fixant les deux de Jori.

« Aucune répugnance. Aucune peur. Je trouve cela assez fascinant. »

Derek grimaça devant l'araignée qui commençait à avancer lentement le long du bras de Jori. « Tu es un monstre, tu sais ça, Jori ? Tu es un vrai monstre. »

« Ouais », dit-elle, tournant la partie balafrée de son visage vers Derek. « C'est ce qu'on m'a dit. »

Le regard de Newt continuait à osciller de l'araignée à la tapisserie. « Donc comment ça fonctionne ? », demanda-t-il au vieil homme. Son regard était tendu, impatient.

« Permettons-nous une démonstration, Arachnea ? Si vous êtes gentille. »

Arachnea détala du bras de Jori vers la paume déployée du vieil homme. Il marcha vers la tapisserie et leva sa main vers la région délavée qu'il avait indiquée plus tôt. L'araignée courut à toute vitesse vers l'étendue vide du tissu.

M. DePris chercha encore une fois le sac de velours dont il s'était servi près du feu, et laissa soigneusement sortir quelques-uns des cristaux colorés dans sa paume droite. Levant sa main vers ses lèvres, il souffla doucement, lançant dans l'air et sur l'araignée qui attendait, tendue et impatiente, un nuage étincelant.

« Maintenant », dit le vieil homme. « Qui aimerait être le premier ? »

Une alarme résonna dans la tête de Jori. Mais Newt bondit vers le vieil homme.

« Moi », dit-il. « J'essaierai. »

« Merveilleux. Le vôtre était un rêve absolument splendide. Et je me demande… Avez-vous aussi apporté quelque chose aujourd'hui comme je l'ai demandé ? Ça pourrait être utile maintenant. »

Newt tira le DVD de sa poche. Le vieil homme le fixa pendant un moment, le tint devant Arachnea, puis passa sa main sur les yeux de Newt. « Dormez, mon garçon. » Les paupières de Newt tombèrent, et il cligna deux fois des yeux.

Puis son menton s'affaissa sur sa poitrine et ses yeux se fermèrent complètement.

Le petit sourire en coin de Derek commença à disparaître. « Qu'est-ce que vous lui avez fait au juste ? De l'hypno se ? »

« Oh, non », dit le vieil homme. « C'est beaucoup plus. » Il se pencha vers Newt et commença à murmurer. « Bien, mon ami. Retrouvez le rêve que vous avez tissé près du feu. Il devrait être tout près, errant dans le crépuscule de votre esprit. Le voyez-vous ? » Newt fit signe que oui. « Alors, allez-y. » Newt demeura immobile pendant un instant, puis s'écroula lentement au sol.

Le vieil homme attendit jusqu'à ce que la respiration de Newt se fasse plus lente, plus profonde. « Arachnea, ma chère. Êtes-vous prête ? »

« *Bien sûr.* » Jori regarda la tapisserie et vit un long fil brillant couler de l'abdomen d'Arachnea et flotter dans l'air. Lorsqu'il atteignit le point juste au-dessus de la tête de Newt, il tremblota et hésita.

Un moment plus tard, le fil commença à se diviser, se fendant en vrilles de plus en plus petites qui se tissaient elles-mêmes en une délicate toile de lumière. La toile étincela et craqua, puis dériva au-dessus de Newt, le capturant dans ses fils scintillants.

Il soupira, se détendant dans un sommeil encore plus profond. À chacune de ses respirations, les fils brillaient plus intensément, adoptant chacun une teinte différente jusqu'à ce que la toile semble tissée de verre teinté. Les fils commencèrent à vibrer et les couleurs circulèrent comme de minuscules rivières vers la tapisserie. Vers Arachnea.

L'araignée se tenait absolument immobile, attendant patiemment pendant que les nuances brillantes se déversent dans son abdomen, où elles scintillèrent et tourbillonnèrent.

« Qu'est-ce qui arrive ? », murmura Jori, déchirée entre la fascination et la peur.

M. DePris posa une main réconfortante sur son épaule. « Rassurez-vous, ma chère. Ce que vous voyez, ce sont simplement les couleurs du rêve de votre ami, libérées de son esprit et se déversant de son cœur. C'est une vision qui ne cesse jamais de m'enchanter. »

Le courant coloré ralentit, puis disparut finalement complètement de la toile. Arachnea se détacha du fil et l'ancra de façon sécuritaire. Ensuite, elle se retourna, étendit ses filières et explosa en mouvements.

De nouveaux fils de soie commencèrent à se dévider de l'araignée, tous dans les couleurs de rêve coulant de l'esprit de Newt. Chaque fois qu'un fil apparaissait, Arachnea le tissait sur le tissu vide de la tapisserie. En quelques minutes, un village se forma avec des arbres et de minuscules personnages apparurent sur un flanc de coteau.

Jori fit un pas vers l'image, mais fut poussée sur le côté par Derek qui scrutait avidement la scène. Ses yeux se rétrécirent. « Quelque chose ne va pas », dit-il. « Ceux-ci ne bougent pas. »

« Bien sûr que non », répondit le vieil homme. « Les rêves ne peuvent vivre sans leur rêveur. » Il se retourna vers la tapisserie. « Arachnea, mon chou, vous vous êtes dépassée. Maintenant, permettez-vous à notre ami Nathaniel de voir ce que vous avez créé pour lui ? »

« *Certainement.* » Arachnea récupéra le fil de rêve d'où elle l'avait ancré, puis le plaça au centre du village nouvellement tissé. Le fil brilla une fois de plus, et la toile couvrant Newt commença à battre comme un cœur. Jori commença à trembler, certaine que Newt lui-même commençait à disparaître.

Ses yeux voyagèrent le long du fil de rêve jusqu'où celui-ci croisait la tapisserie. À un endroit exact, une minuscule image se formait. Un garçon mince, aux membres longs et aux cheveux blonds sales, était assis recroquevillé sur le sol.

« Non », murmura-t-elle.

« Quoi ? », demanda Derek. « Qu'est-ce qui arrive ? »

Jori pointa et la mâchoire de Derek tomba.

Comme ils regardaient, le personnage se forma complètement et leva la tête. Au même moment, les images dans la photographie frémirent de vie. Des hommes à dos de cheval galopèrent dans le village, leur visage exprimant l'urgence. D'autres coururent pour les rencontrer, faisant des gestes de manière agitée, alors que les femmes et les enfants se précipitaient vers leurs huttes pour être plus en sécurité. Le garçon dans l'image se leva lentement, regardant autour, tout étonné.

« Ça n'est pas possible ! », dit Derek tranquillement.

« Eh oui, » gloussa le vieil homme. « Véritablement ! » Ses yeux étincelaient. « Alors même que nous sommes ici, votre ami vit son rêve, commençant une aventure qu'il ne pouvait tout simplement pas imaginer avant. »

Derek se détourna de la tapisserie, toute affectation disparue. Ses yeux accrochèrent ceux du vieil homme. « J'ai besoin d'y aller aussi. »

« Pourquoi, bien sûr. Je ne vous aurais pas emmené ici sinon. Et puis après, ça pourra être le tour de Jori. »

Les paumes de Jori devinrent humides. « Non merci ! » dit-elle, jouant dans sa poche avec le minuscule loup d'argent qu'elle avait apporté. « Je veux simplement regarder pour le moment. »

Mais Derek fit presque un saut vers la tapisserie. Il tira un petit morceau de papier froissé de l'intérieur de son veston – quelque chose qu'il avait déchiré d'un livre ou d'un magazine, pensa Jori – et qu'il montra rapidement au vieil homme. « Allons-y ! »

M. DePris passa sa main devant le visage de Derek. Ses yeux se fermèrent immédiatement et, comme Newt, il s'affaissa sur le sol. Une fois encore, Arachnea commença à tisser et à rassembler ses fils.

En quelques minutes, une terre de roc rouge et de dunes s'était formée, puis une étendue contrastée d'or doux, de jade profond et de bleu mer. Dans cette section, une petite ville commença à grandir, se déployant en éventail sortant des eaux où un immeuble de marbre blanc était juché sur le sommet d'une haute montagne. Qui se serait attendu à cela ? pensa Jori, surprise. Puis elle observa, effrayée et envieuse, alors que Derek entrait dans un monde créé par sa propre imagination.

Le vieil homme se retourna vers elle, les yeux souriants. « Allez-y, ma chère. Vous savez à quel point vous en avez envie. »

Jori ne répondit pas. Il se pencha vers elle et posa une main sur sa joue.

« Chère fille. N'ayez pas peur. Après tout, que sont les rêves, vraiment ? Rien de plus que des souvenirs, des espoirs, des désirs. Des regrets tirés du prisme de l'esprit et rendus merveilleux. »

Écoutant sa voix hypnotique, Jori permit à son cœur de se souvenir, juste pour un moment. Elle pensa à son père, à sa sœur et à la vallée secrète qu'elle avait partagée avec eux chaque soir, il y a si longtemps. Chacun si précieux, et chacun vraiment perdu — une partie de sa vie qu'il ne lui arrivait de revoir que pendant son sommeil.

« D'accord », murmura-t-elle. « D'accord. »

L'écoutant, Arachnea pivota de son poste sur la tapisserie. Jori marcha devant M. DePris et pressa nerveusement le loup miniature dans sa paume. Il l'examina et la regarda avec affection. « Dormez, ma chère. »

Presque instantanément, les genoux de Jori s'affaiblirent, et elle s'effondra sur le sol. Elle vit la poussière de pierres précieuses flotter de la paume du vieil homme et bientôt les fils de lumière de la toile d'Arachnea s'installèrent sur elle, la réchauffant.

Elle ressentit un tourbillon de bien-être. Dans son esprit, la forêt verte et le champ ambre prirent forme, gravés contre des pics étincelants de cristal et de lumière. Mais elle ne voulait pourtant pas s'abandonner complètement, et elle fit un effort pour entendre les voix autour d'elle.

« Superbe », murmura le vieil homme. « Tout simplement superbe. »

« C'est vrai. Mais alors, mon tissage n'a-t-il pas toujours été superbe ? »

« Bien dit, ma chère. »

« Pourtant Jonas, ce serait presque dommage de faire vivre celui-ci. La fille a plus de mérite que la plupart des autres. »

« On sympathise avec la proie, Arachnea ? C'est très surprenant de votre part. »

La peau de Jori devint glacée, et elle s'obligea à ouvrir les yeux.

Mais qu'est-ce qui se passait ? Le visage du vieil homme devenait plus sombre et il lui semblait que ses membres s'allongeaient. Et son sourire… son sourire semblait si froid.

Un gémissement nerveux s'échappa d'elle, et la tête du vieil homme se tourna vers elle brusquement. Elle ferma rapidement ses yeux, feignant d'être endormie. Au même moment, la voix d'Arachnea bourdonna dans sa tête. *« Intéressant. Cette image est presque identique à une autre… »*

« Chut, Arachnea », dit le vieil homme. « Concentrez-vous sur votre travail. »

« Mais je n'ai jamais vu cela avant. Deux rêves différents, mais un semblable à… »

« J'ai dit c'est assez ! », siffla le vieil homme, donnant un coup de fouet sur la tapisserie avec sa canne. Étonnées, autant Jori qu'Arachnea sursautèrent. L'araignée échappa le fil de rêve, et Jori maintenant complètement éveillée, se débarrassa de la toile qui couvrait son visage et ses vêtements. Elle fit un bond pour se remettre sur ses pieds, tremblant, cherchant frénétiquement Newt. Lui et Derek dormaient encore sous leurs toiles scintillantes, aussi immobiles que de la pierre.

« Ramenez-les », murmura-t-elle. « S'il vous plaît, sortez-les de là. »

M. DePris se précipita vers elle, les ombres ayant disparu de son visage. « Oh, ma chère fille. Qu'est-ce qui ne va pas ? Vous semblez bouleversée. »

« Sortez-les de là. S'il vous plaît. »

« Mais ils sont en train de passer un délicieux moment. Tout comme vous le ferez quand vous... »

« Non ! », cria Jori. Puis sa voix finit par un murmure. « Qu'est-ce que vous nous faites ? »

« Je ne comprends pas. »

« Vous comprenez très bien. »

Il soupira. « Peut-être que je comprends. Parfois un rêveur est pris entre deux mondes, n'en percevant aucun clairement. C'est ce qui doit vous être arrivé, ma chère. Pourtant, je ne voudrais à aucun moment vous causer la moindre inquiétude. Je vous ramènerai immédiatement vos amis. Est-ce que cela vous rassure ? »

Jori fit signe que oui, tremblant toujours.

Le vieil homme toucha sa joue, puis s'avança vers les formes endormies des deux garçons et fit courir sa main sur leurs fils de rêve. À ce contact, les toiles recommencèrent à briller.

Newt et Derek commencèrent à avoir des mouvements convulsifs et à marmonner sur le plancher. Leurs formes pâles devinrent plus substantielles, reprenant de la vie et de la couleur à partir des fils dans lesquels ils étaient empêtrés. En quelques instants, les toiles disparurent de leurs corps.

« Vous voyez », dit le vieil homme. « Il n'y a pas de quoi s'en faire. »

Les garçons s'assirent, paraissant étourdis. « Eh bien, mes amis ? » dit M. DePris. « Que pensez-vous de mon « tapis » maintenant ? »

Newt hocha la tête et Jori observa ses yeux qui fixaient des images invisibles. « C'était… incroyable. Comme si j'étais dans un film, ou comme si je vivais chacun des rêves que j' ai eus. » Ses yeux se fixèrent sur ceux de Jori et il bondit sur ses pieds, l'attrapant par les épaules. « Peux-tu croire ça. »

Derek marmonnait, fouillant dans ses cheveux avec ses doigts. Il leva les yeux vers le vieil homme, le visage fébrile. « Pourquoi nous avez-vous ramenés si vite ? Je n'étais pas encore prêt. »

Jori commença à parler, mais M. DePris répondit plus rapidement. « Simplement pour m'assurer que vous n'étiez pas déçu. »

Derek hocha la tête, mais semblait à peine écouter. « Écoutez, je dois sortir pour quelques minutes. Je dois aller chercher… je dois m'occuper de quelque chose. » Il courut vers la porte, puis fit une pause, regardant vers le vieil homme. « C'est d'accord, si je reviens plus tard ? »

« Bien sûr. »

« Merci. » Derek sortit comme un ouragan de la salle de tapisserie et Jori entendit ses pieds marteler les escaliers. Elle entendit un aboiement surpris de la part de Goffer, un rire bref, et puis le bruit de la porte avant qui claquait.

« Derek a dit « merci » », dit Jori, stupéfaite.

« Voilà », lui dit le vieil homme, les yeux étincelants. « Vous voyez ? Apparemment, il était assez heureux de sa petite aventure. Maintenant, pourquoi ne m'attendez-vous pas en bas ? Je serai là dans un instant. »

Il marcha vers la tapisserie, et donna une petite tape sur sa poche. Mais Arachnea s'éloigna de lui, jusqu'à un coin sombre du plafond. Sa voix gratta l'extrémité du cerveau de Jori, à peine audible, et elle demeura derrière pour écouter.

« Comment avez-vous osé me traiter ainsi ! », siffla-t-elle. « Fouetter votre canne sur moi. »

« Arachnea… »

« Particulièrement si on considère que vous n'auriez rien sans moi, que vous n'êtes *rien sans moi. Juste un vieil homme avec un sac de sable. »*

« Ne présumez jamais de cela, mon amie. Vous avez de la valeur, certes. Mais vous n'êtes pas indispensable. » Il regarda l'araignée pensivement, un doigt tapotant ses lèvres.

Jori se dépêcha de rejoindre Newt, qui avait déjà dépassé la porte rouge, semblant encore étourdi. Quelques planches fondirent complètement, révélant l'escalier.

Comme ils descendaient, Newt commença soudainement à parler sans arrêt, faisant de larges gestes pendant qu'il décrivait ce qu'il avait fait pendant son court voyage dans la tapisserie. Puis, il fit une pause au beau milieu d'une phrase.

« Hé, je ne t'ai pas laissé parler. Alors, allez, raconte-moi ce que tu as vu. » Son visage était enthousiaste, comme s'il avait autant besoin de ses rêves que du sien.

Jori haussa les épaules, embarrassée. « Je n'ai rien vu. »

« Qu'est-ce que tu veux dire ? Ça n'a pas fonctionné pour toi ? »

« Non. Je veux dire, je n'y suis pas allée. »

« Tu n'es pas... » Jori sentit une déception passer entre eux. « Pourquoi pas ? »

« C'est difficile à expliquer. Des choses que je crois que j'ai vues. Et entendues. »

« Comme quoi ? »

Jori jeta un regard derrière, s'assurant que M. DePris n'était pas encore apparu. Elle attrapa la main de Newt, le poussant dans les dernières marches. « Écoute, Newt. Nous devons sortir d'ici. Quelque chose ne tourne pas rond. Avec le vieil homme. Avec la tapisserie. Tout. »

Newt remua, inconfortable. « De quoi parles-tu ? »

« Oh, allez. Une araignée qui parle, des meubles magiques. Cette petite aventure que tu viens de vivre dans la toile. Soit que le vieil homme fasse quelque chose à nos cerveaux, ou cette maison fait partie de la *zone incertaine*. »

Newt se retourna vers elle avec colère. « Si quelque chose ne va pas ici, c'est toi. Cet endroit est incroyable. Ou tu es juste trop tordue et paranoïaque pour ne jamais profiter de rien. »

Surprise, Jori demeura muette. Newt continuait à la regarder, mais il cligna soudainement des yeux surpris.

« Désolé », murmura-t-il. « Je ne sais pas pourquoi j'ai dit ça. »

« Tu vas bien ? »

« Il regarda au loin. « Ouais, certain. »

M. DePris apparut au-dessus d'eux. « Y a-t-il quelque chose qui ne va pas ? »

« Non », dit Newt, regardant à nouveau Jori, la défiant presque de parler. « Tout est fameux. »

Le vieil homme sourit avec sérénité et descendit les escaliers. L'expression de Newt était détendue.

« C'était vraiment fantastique en haut », dit-il. « Merci de nous l'avoir montré. »

« Oh, mon garçon, tout le plaisir était vraiment pour moi. » Les yeux du vieil homme se glissèrent vers Jori. « Et peut-être que la prochaine fois, Jori sera aussi capable d'en profiter. »

« Ouais », dit Newt, sa voix ayant quelque chose de tendu. « Ce serait bien, n'est-ce pas ? »

Une tension bourdonna sous la peau de Jori. Elle était celle qui était bizarre, la seule personne qui n'était pas enchantée de ce qui s'était passé dans cette maison. Elle avança maladroitement vers les étagères et les vitrines d'expositions, ses yeux parcourant le contenu pour faire distraction.

Elle haleta, s'accrochant à l'extrémité d'une chaise.

Sur une étagère, si haut qu'elle l'avait presque manquée, il y avait une licorne ailée. Et un globe de verre dans lequel les couleurs liquides de l'arc-en-ciel tourbillonnaient comme des nuages.

« D'où avez-vous obtenu ça ? », murmura-t-elle.

« Obtenu quoi, ma chère ? »

« Ceci. La licorne et le globe. »

Il s'avança près d'elle, levant les yeux vers les objets. « Je suis désolé. Je ne suis pas certain de me rappeler. »

Jori le regarda directement dans les yeux. « Ils appartiennent à ma sœur. »

« Vraiment ! » Le vieil homme semblait étonné. « Comme c'est étrange. Bien, si c'est vrai, vous devriez les rapporter à la maison pour elle. »

« Elle n'est pas *à* la maison. Et vous le savez. » Jori commença à reculer. « Donc, dites-moi. Pourquoi conservez-vous ces choses ? Comme souvenirs ? Des *trophées ?* »

Newt attrapa son bras. « Arrête ça, Jori. Tu ne penses pas… »

« Je ne sais pas quoi penser. Mais je m'en vais. »

Le visage de Newt se tordit de colère. « C'est bien. Va-t-en. »

Jori avala sa salive, son horreur grandissante luttant avec son intérêt pour Newt. « Allez Newt. S'il te plaît. Partons d'ici. »

Newt se retourna et se dirigea vers le foyer. Il fixa les flammes.

Les yeux de M. DePris se rapetissèrent. « Apparemment, ma chère, vous n'êtes pas vraiment convaincante. »

Jori commença à se diriger vers la porte. Le vieil homme la suivit.

« Quel esprit obscur vous avez », dit-il. « Vous me soupçonnez. Vous avez peur de ma tapisserie. Que pourrait-il y avoir de mal avec quelque chose qui efface la douleur et facilite les aspirations du cœur ? »

Jori ne répondit pas, sachant seulement qu'elle voulait désespérément s'enfuir de la maison, échapper au vieil homme et de ce qu'il y avait en haut. Parce que maintenant, elle pouvait voir quelque chose de nouveau dans ses yeux.

La faim.

« Bien sûr » dit-il, ses mots la pénétrant comme des aiguilles brûlantes. Si vous préférez l'autre monde, vous pouvez y retourner. Découvrez, ma chère, ce qu'il a à vous apprendre. Vous avez reçu une leçon quand votre père est mort. Lorsqu'il vous a causé ces cicatrices. Mais il y a beaucoup plus à apprendre. Regardez comme l'hiver tue les jardins et gèle les sans-abri devant lesquels vous passez tous les jours. Voyez cette mère que vous aimez qui vieillit et devient plus fatiguée, épuisée par le deuil et le désespoir. Regardez-vous vous-même, perdue et amère, sans amis et effrayée. »

Il se pencha plus près, murmurant maintenant. « Mais rappelez-vous. Vous n'avez qu'à revenir vers moi et toucher un fil précieux, et la laideur disparaît. »

La main de Jori finit par trouver la porte. L'ouvrant toute grande, elle s'avança en tanguant à l'extérieur et se fraya un passage à travers le jardin, trébuchant sur les racines et les pierres qui se jetaient sur son chemin. Elle passa devant la porte du jardin et entra en trombe dans la ruelle, loin de la cour brillante. Et pendant qu'elle courait, elle se bouchait les oreilles pour faire taire le rire hideux et moqueur du vieil homme.

HUIT
DISPARU

Deux jours plus tard, Jori était assise bien droite dans la salle de détention, attendant que Newt passe la porte. Le garçon ne s'était pas non plus montré le jeudi. Lorsqu'elle s'était renseignée auprès de M. Alvarez, celui-ci lui avait répondu qu'il lui avait inscrit une absence non motivée pour la journée entière. « Ce qui signifie que la semaine prochaine, je le verrai ici encore », avait dit le petit homme, tapotant avec satisfaction son registre des présences.

Jori était au supplice et confuse. Le jour où elle s'était enfuie de la maison du vieil homme, elle avait téléphoné à sa mère dès son retour chez elle pour lui raconter ce qui était arrivé — du moins, ce qu'elle pouvait lui expliquer sans paraître folle. En moins de quelques heures, deux policiers avaient été dépêchés dans le secteur de Bridgeview pour y faire enquête.

Toute la soirée, Jori et sa mère se pelotonnaient sur le sofa, se serrant les mains tellement fort que leurs doigts en étaient blancs. Vers 22 h 30, le téléphone finit par sonner. La mère de Jori sauta sur le récepteur, le visage fou d'espoir. Mais pendant qu'elle écoutait, son espoir s'évanouit. Jori n'aimait pas ce qui l'avait remplacé.

Sa mère déposa maladroitement le combiné dans sa fourche. Elle demeura muette pendant quelques instants, mais son visage était pâle et ses yeux remplis de frayeur.

« Qu'est-ce qu'il y a ? », demanda Jori, le cœur battant. « Qu'est-ce ce qu'ils ont trouvé ? »

« Rien. Ils n'ont rien trouvé, Jori. »

Jori la fixa, stupéfaite. Sa mère s'assit près d'elle, et prit les deux mains de Jori dans les siennes.

« Ils ont suivi tes instructions, mais ils n'ont découvert qu'un édifice abandonné. Ils ont dit qu'il correspondait à ta description — du moins en partie. Il y avait un mur. Et un jardin, ou le restant d'un jardin. Mais personne ne vit à cet endroit. Personne n'y a habité depuis des années. »

La tête de Jori se mit à tourner. Soit que la maison près de Bridgeview était encore plus horrible que ce qu'elle avait soupçonné, soit que quelque chose n'allait pas chez elle. Le bras de sa mère se glissa sur ses épaules, et Jori sentit qu'elle déposait un doux baiser sur son front.

« Tu sais, mon ange, il arrive que l'inquiétude et le stress s'accumulent pendant des mois, sans même qu'on s'en rende compte. Le détective a dit que peut-être… peut-être que tu es plus épuisée ou plus malheureuse que nous n'en avons pris conscience toutes les deux. Qu'il nous faudrait peut-être parler à quelqu'un. Qu'est-ce que tu en penses ? »

Jori sentit toutes ses émotions refluer. Puis elle hocha tout simplement la tête en signe d'acquiescement.

***

C'était le mercredi. Mais lorsque Newt ne s'était pas montré à l'école le jeudi, le vide en Jori s'était lentement transformé en une sourde douleur empreinte de frayeur. Et maintenant, pendant qu'elle observait M. Alvarez qui cochait le nom de Newt pour la deuxième fois, elle devint de plus en plus certaine qu'elle n'avait pas imaginé le vieil homme, la maison, ou les événements au second étage.

Elle commença à gribouiller nerveusement sur la couverture de son cartable, essayant de se débarrasser de la tension qui brûlait le long de chacun de ses nerfs. Elle écrivit d'abord le nom de Newt, son doigt touchant le mot avec inquiétude. Puis, elle dessina une vieille maison, et une énorme araignée qui se balançait le long d'une toile complexe. Finalement, elle pressa furieusement sur sa plume et écrivit DEPRIS, traçant le nom sans s'arrêter jusqu'à ce que les vilaines lettres noires deviennent éblouissantes.

Frustrée, elle fixa le nom, puis les images voisines. Ses yeux s'agrandirent.

Ce n'était pas possible.

Elle déchira un morceau de papier du cartable, écrivit la lettre S sur la page, et raya cette lettre dans le nom du vieil homme. Elle fit la même chose avec la lettre P. Puis I. Et continua jusqu'à ce qu'un simple mot apparaisse sur le papier.

SPIDER[1]

Jori bondit de son siège et trébucha vers la porte. La tête de M. Alvarez s'arracha de sa montagne de papiers.

« Où pensez-vous ainsi aller ? »

« Je sors. »

« Je ne le crois pas. » Il se leva et se pencha sur le bureau de métal. « Retournez à votre siège. Tout de suite ! »

« C'est impossible. Je dois sortir. »

« Faites un pas de plus, jeune fille, et la semaine prochaine vous serez de retour ici — avec votre ami Newt. »

[1] NdT : « Spider » est le mot anglais qui signifie araignée. Donc, le nom « DEPRIS » constitue un anagramme du mot araignée.

En entendant le nom de Newt, Jori resta figée dans l'embrasure de la porte. Oh, mon Dieu, pensa-t-elle. Je l'espère.

Elle se retourna vers le petit homme furieux, dont le cuir chevelu était maintenant recouvert de larges plaques rouges. « Écoutez, M. Alvarez. J'ai besoin que vous me rendiez un service. Téléphonez à ma mère plus tard. Dites-lui de ne pas s'inquiéter. D'accord ? »

Le trouble remplaça la colère sur le visage de M. Alvarez. « Que voulez-vous dire ? Pourquoi ne pouvez-vous pas l'appeler vous-même ? »

« Faites ce que je vous demande, d'accord ? »

« Attendez, Jori. S'il vous plaît. Dites-moi… »

Mais elle était déjà sortie.

***

Quinze minutes plus tard, Jori atteignit Bridgeview, essayant toujours de rassembler ses pensées en lambeaux. Comment avait-elle pu être si stupide ? Le vieil homme leur avait pratiquement révélé la vérité. D'accord, c'était un collectionneur, comme toute autre araignée. Mais les victimes auxquelles il s'attaquait étaient humaines.

De nouvelles peurs la tenaillaient. Elle s'était enfuie, mais qu'était-il arrivé aux autres demeurés là-bas ? Newt, sa sœur. Les autres dont les rêves continuaient à tourbillonner dans la tapisserie. Le vieil homme finirait-il tout simplement par les vider de leurs rêves, pour ensuite se débarrasser des restes ? Dans son cerveau apparut une vision du monstre accroupi et penché la bouche ouverte sur une pâle forme humaine. Ses jambes faiblirent et elle s'appuya contre un poteau indicateur.

Puis, comme une corde de sécurité, les propres paroles du professeur se déroulèrent dans son esprit : *les rêves ne peuvent vivre sans leur rêveur*, avait-il dit.

Jori hocha farouchement la tête. « Tu n'as pas encore gagné, mon vieux. »

Elle piqua un sprint dans les rues secondaires, dépassant les lampadaires brisés et les ruelles sombres. Lorsqu'elle s'approcha du passage final, elle ralentit, et elle y pénétra à pas de loup, recherchant la douce lueur du jardin.

Elle n'apparut pas.

Avec précaution, Jori se glissa tout près. Elle perdit le souffle.

Tout avait disparu. En fait, pas exactement disparu. Il y avait bien un édifice au bout de la rue, mais ce n'était pas celui qu'elle avait visité trois fois auparavant. C'était un immeuble ordinaire à deux logements, au toit affaissé, aux murs délabrés. Le mur de pierres qui l'avait déjà caché à la vue s'était entièrement effondré. Rongés par la maladie, les imposants chênes avaient perdu leurs feuilles, les carcasses nues de leurs branches tentant d'atteindre le firmament.

Il n'était pas surprenant que les policiers l'aient crue dérangée. Jori se dirigea vers la porte du jardin, maintenant d'un gris terne érodé. Sa douille métallique rouillée la fixait aveuglément, le globe de verre ayant disparu. Jori prit une profonde respiration et empoigna le bouton de cuivre.

Il lui resta dans la main.

Elle regarda la poignée d'un air ébahi, puis la jeta sur le béton cassé. Avec hésitation, elle poussa elle-même la porte. En même temps qu'un gémissement de bois fendu, celle-ci s'effondra à demi dans la cour, retenue au dernier moment par la plus basse de ses deux charnières brisées. En état de choc, Jori la franchit comme s'il s'agissait d'un pont-levis, et examina les alentours.

Le jardin était sans vie, son tapis de fleurs pourries s'emmêlant avec les tiges et les feuilles. Une puanteur infecte s'élevait de l'endroit, et Jori en eut la nausée, l'estomac tout à l'envers. Les vignes qui se déployaient jadis en cascades sur les arbres se balançaient maintenant comme des cordes effilochées sur leurs branches mortes, dessinant sur la cour des ombres qui ressemblaient à des gibets.

Jori regarda autour d'elle avec stupéfaction. Mais alors elle comprit.

Rien n'avait changé, pensa-t-elle. Nous n'avions eu que l'impression de voir la porte, le cottage… le Jardin de lune. Le vieil homme s'était incrusté dans nos cerveaux avant même que nous ne l'ayons rencontré.

Et maintenant, les apparences invitantes n'étaient plus nécessaires. L'araignée avait eu ce qu'elle voulait.

Cette pensée laissa Jori hébétée. Elle s'accroupit, ses doigts touchant le sol, puis marcha lentement comme un canard à travers les mauvaises herbes restantes qui envahissaient la cour. Leurs tiges froides lui coupaient les mains et les joues.

La porte grinça et Jori se jeta de tout son long. Quelqu'un rampait sur la pelouse, faisant une pause à chaque pas comme s'il cherchait quelque chose. Quelqu'un la cherchait ? Son estomac se tordit. Un instant plus tard, elle entendit une respiration âpre au-dessus d'elle, et quelque chose de froid toucha son visage. Elle glapit, et se débattit en frappant avec son bras.

« Wouf ? »

Jori se souleva d'un mouvement brusque et Goffer recula.

Riant doucement, elle tendit le bras pour caresser la tête du gros chien. Mais sa main se figea à mi-chemin. Le chien était presque dépourvu de chair, et ses os étaient couverts de peau rougie. Ses yeux étaient creux, et son dos recouvert de plaies suppurantes.

« Pauvre Goffer », murmura Jori. « Alors, c'est vraiment ainsi qu'il te traite ? » Le chien gémit. Elle fouilla rapidement dans ses poches et lui tendit le reste d'une barre énergétique. Affamé, Goffer n'en fit qu'une bouchée.

« Goffer », dit-elle, s'agenouillant près de lui et caressant sa tête. « Je suis au courant de ce qui arrive ici. Et si je peux faire sortir les autres de cet endroit, je prendrai soin de toi, aussi. Je le jure. » Le chien gémit.

« Tout ce qu'il me faut faire maintenant, c'est de retrouver notre charmant professeur et de trouver comment je peux arriver à le duper. Elle rit, d'un rire désespéré. « Ouais, c'est tout. » Mais les yeux ternes de Goffer s'allumèrent en entendant le mot « professeur ». Prenant doucement la main de Jori dans sa gueule, il la tira vers une des fenêtres craquées et crasseuses sur le côté de la maison. Elle leva lentement la tête jusqu'à ce que son regard atteigne l'intérieur.

Le vieil homme était assis, aussi peu reconnaissable que la maison elle-même. Son corps était décharné et tordu sous des vêtements usés jusqu'à la corde, et on aurait dit que la peau de son visage était de petits morceaux de tissu collés sur son crâne. Les yeux fermés, il se berçait de l'arrière vers l'avant dans une chaise de style antique, aspirant l'air à travers des dents pourries.

Jori se jeta sur la pelouse, avec la chair de poule. Elle regarda le chien. « Donc maintenant, qu'est-ce que je fais ? Comment puis-je monter là-haut sans qu'il me voie ? »

Goffer écouta, sa tête penchée sur un côté. Puis il se leva, lécha sa main, et clopina vers l'avant de la maison.

Où il se mit à hurler comme s'il était devenu fou.

Le cœur de Jori s'effondra. Ce chien affamé n'était-il qu'une autre des astuces du vieil homme, une ruse pour l'attirer plus près ? Elle se recroquevilla contre le mur en même temps que Goffer glapissait, gémissait et criait. Puis elle entendit un fracas, suivi par le crissement torturé de la charnière de la porte avant.

« Ferme-la, toi, misérable bâtard ! », rugit le vieil homme. Mais Goffer continua de gémir sauvagement, l'écho de ses aboiements se répercutant dans les rues sombres. Jori jeta un regard autour d'elle en même temps que M. DePris bondissait vers le chien, la canne levée dans les airs. « J'ai dit, ferme-la ! Ferme-la ou je te défonce le crâne ! » Goffer gronda, puis se lança vers l'avant et enfonça ses dents dans la jambe du vieil homme.

Le vieil homme hurla, et sa canne tomba avec fracas sur le sol. Il tenait fermement sa cuisse, maintenant noircie par le sang, et criait des obscénités au chien. Goffer avança en trébuchant et s'effondra, ses faibles pattes fléchissant sous lui. Le vieil homme leva les yeux, sourit d'un air vicieux, et empoigna à nouveau sa canne. »

« Tu te tournes contre moi, n'est-ce pas ? » Il se retroussa les lèvres et leva sa canne, le regard furieux. Mais avant qu'il ne puisse le frapper, Goffer se leva en sursaut et boitilla frénétiquement par-dessus la porte de jardin brisée, vers l'obscurité de la ruelle.

M. DePris hésita, se retourna pour regarder avec avidité vers la fenêtre du second étage. Mais Goffer aboya de nouveau, le provoquant. Les yeux rouges du vieil homme se rétrécirent et, furieux, il suivit le chien, sa mince silhouette rapidement engloutie par les ombres.

Jori se précipita vers le côté de la maison et se dépêcha d'atteindre l'entrée. Prise de nausées, elle s'arrêta brusquement.

On aurait dit qu'un cadavre, et non un homme, habitait la maison. La salle jadis confortable était maintenant devenue une fosse remplie de pourriture, puante de moisissures et de vers. Des toiles d'araignée en lambeaux tombaient dans les coins, et les meubles de chêne solide étaient déformés et fendus. Le rembourrage déchiré du vieux meuble de velours empestait les crottes de rongeurs, et toutes les belles collections avaient disparu, ou se décomposaient sous des couches de poussière.

Jori se secoua, luttant contre sa révulsion et courut vers l'escalier, montant les marches deux à la fois. Elle atteignit le second étage — qui n'était plus masqué par l'illusion d'un plafond — et avança à grands pas vers la seule chose demeurée magnifique : la porte brillante qui protégeait la salle renfermant la tapisserie.

Jori poussa la porte vers l'intérieur, prête à courir vers la tapisserie. Mais elle s'arrêta lorsqu'elle aperçut ce qui était sur le sol.

Sous une douzaine de filets étincelants, des formes humaines étaient allongées immobiles. Certaines avaient presque disparu. D'autres n'étaient guère plus que des enveloppes séchées, prêtes à se désagréger en poussière. D'autres encore donnaient l'impression que les rêveurs venaient tout juste de se pelotonner pour une sieste agréable et qu'ils se réveilleraient bientôt. Comment était-il possible qu'elle et les autres n'aient rien remarqué avant ?

Mais bien sûr, elle connaissait la réponse. Ils n'avaient vu que ce que le vieil homme voulait qu'ils voient. Une porte parlante. Un cottage magique. Un plafond enchanté. Des images innocentes arrachées de leurs souvenirs, destinées à les ravir, pour les apaiser — pour les piéger.

Elle leva les yeux vers la tapisserie, l'examinant jusqu'à ce qu'elle repère le village de Newt. Tremblante, elle suivit son fil de rêve jusque dans la pièce. Il était étendu à la fin du fil, immobile comme un mort, ses longs cheveux recouvrant ses yeux fermés.

« Newt, tu es idiot », murmura-t-elle. Elle tendit le bras pour toucher son épaule, mais le filet qui le recouvrait craqua et brûla.

Une voix basse transperça son esprit.

« *Et qu'est-ce que vous pensez que vous faites ?* » Jori fit la grimace. « *Regarde au dessus de toi, humaine.* »

Arachnea était suspendue au-dessus d'elle, frottant ses pattes de devant l'une contre l'autre.

« Je suis venue pour le faire sortir », dit Jori, reculant pour s'éloigner de l'araignée. « Lui... et quelqu'un d'autre qui est perdue ici, je crois. »

« *Sortir ? Quel intéressant concept. Personne n'est jamais sorti d'ici.* »

« Peut-être que personne n'a jamais essayé de les aider. »

« *C'est vrai. Mais si quelqu'un était assez fou pour essayer — une jeune fille un peu bête, par exemple — je serais forcée de l'aveugler, de la piquer, de la paralyser, pour l'empêcher de faire du mal à la tapisserie.* »

« Intéressant », dit Jori, croisant les bras. « Parce qu'il est possible que la même personne soit obligée de se défendre en réduisant une certaine araignée en l'une de ces taches sur le mur dont elle a un jour parlé. »

Il y eut un court silence, et l'araignée recula encore plus loin de Jori. « *Vous êtes certainement une créature très fascinante.* »

« N'en doutez pas une seconde. » Jori détourna les yeux d'Arachnea, cherchant parmi les formes enveloppées sur le sol pour voir si l'une d'entre elles était celle de Lisa. Mais trop de formes étaient tassées, déplacées, décolorées, à un point tel qu'il était impossible de distinguer leurs traits.

Sauf pour l'une des formes, plus large que les autres. Jori la regarda fixement avec curiosité et vit deux rêveurs capturés sous une même toile brillante. Le premier était une fille avec des cheveux noirs ondulés. L'autre, un garçon mince avec un veston de cuir brun.

Derek et Marisa.

Elle suivit leur fil de rêve vers la tapisserie et elle fut surprise de constater qu'il était connecté à la même large surface de dune et de désert que Derek avait d'abord imaginée. Mais, elle était incapable de distinguer la ville brillante dans ses détails — autre que de la pierre lustrée et du sable d'un blanc doré qu'un soleil invisible faisait chatoyer.

Bien, pensa Jori. J'espère que vous pourrirez là.

Elle reporta son attention vers l'araignée. Si elle n'arrivait pas à persuader la créature de l'aider, elle ne sauverait personne.

« Regardez, Arachnea », dit Jori. « Vous n'avez pas à vous inquiéter. Je ne veux pas détruire votre tapisserie. Ni vous détruire. »

« *C'est ce que vous dites.* »

« Bien, je peux vous assurer que je suis bien moins menaçante que votre professeur. N'a-t-il pas failli vous tuer l'autre jour ? »

L'araignée ne répondit pas.

« Tandis que j'y pense », dit-elle, tissant une petite tromperie de son invention. « Il nous a raconté que vous lui aviez causé un peu de problèmes ces derniers temps, mais qu'il... qu'il le tolérait ». Je crois qu'il a dit que bientôt il n'aurait plus besoin de vous. »

Ces paroles firent leur effet. Les pattes de l'araignée s'étendirent raides, et elle se mit à bondir en secousses sur ses fils, agitée de sursauts. « *Je le savais ! Je le savais ! L'ingrat. Après tout ce temps... Comment ose-t-il...* »

Jori laissa la créature pester. Mais alors ses nerfs commencèrent à se crisper, pressentant le retour imminent de l'araignée humaine bien plus dangereuse.

« Arachnea. J'ai simplement besoin que vous me donniez une information, c'est tout. Quand vous avez commencé à tisser mon rêve, vous avez dit qu'il ressemblait à un autre dans la tapisserie. Pouvez-vous me le montrer ? »

Les spasmes de l'araignée cessèrent, suivis par quelques secondes de silence.

« *Pourquoi pas ?* » dit-elle. « *Vous méritez certainement plus mon aide que lui.* »

Elle se balança sur la tapisserie, et marcha à travers les fils brillants. « *Ici. Celui-ci.* »

Jori ferma presque les yeux, pas vraiment certaine qu'elle pouvait supporter de regarder. Mais il était là. Un pré doré. Des montagnes bleu velours. Et l'imposante montagne de cristal.

Elle commença à suivre le fil de rêve brillant vers la forme d'où il tirait sa vie, mais alors elle s'arrêta. S'il ne restait plus qu'une coquille ; elle n'était pas prête à apprendre cela. Pas tout de suite.

Elle tendit sa paume, et l'araignée fila à toute vitesse pour s'y installer.

« Arachnea, écoutez. Ce rêve, c'est celui de ma sœur. C'est elle que je veux ramener. Newt, aussi, si je peux. À moins… qu'il ne soit déjà trop tard. »

L'araignée sembla considérer la chose. « *Non. Je ne crois pas qu'il soit trop tard. Si les rêves sont encore vibrants dans la tapisserie, et s'ils sont encore visibles d'ici, alors j'imagine que les rêveurs continuent à se balancer entre les deux mondes, et qu'ils sont capables de choisir de vivre dans l'un ou l'autre.* »

« Mais vous avez dit que personne n'en est jamais revenu. »

« *C'est vrai. Mais peut-être ne se rendaient-ils pas compte qu'ils devaient faire le choix.* »

« Ils l'ignorent toujours. »

« *Oui, ils l'ignorent.* » Arachnea rampa vers l'avant, ses six yeux brillants. « *Mais maintenant vous pouvez leur dire. Vous pouvez aller les voir.* »

Jori lança un regard. « Y aller… comment ? »

« *De la même façon que les autres. La poussière du vieil homme recouvre le sol, c'est assez facile à ramasser. Donc si vous rêvez, je filerai. De fait…* » Elle sauta à nouveau dans l'image brillante du paysage de rêve de Lisa, « *étant donné que vous et votre sœur avez partagé une vision semblable, je suis capable de tisser votre rêve dans le sien.* »

« Et qu'est-ce qu'on fait avec Newt ? »

« *Son paysage de rêve est très près du sien. Il sera possible de vous déplacer entre les deux.* »

Le cerveau de Jori tourbillonnait, mais les paroles d'Arachnea semblaient assez sensées. « Donc, disons que ça fonctionne, et que je les trouve. Comment est-ce que je — nous — en sortirons ? »

« Il faut simplement ancrer votre fil de rêve à un endroit où vous serez capable de le retrouver. J'y tisserai de nouveaux liens, et vous serez tous capables de vous servir de la même sortie. »

Jori se pencha vers l'araignée. « Merci, Arachnea. »

« Vous êtes la bienvenue, humaine. » L'araignée fut silencieuse pendant un moment. *« J'aimerais tout de même vous donner un petit conseil. Essayez de ne pas y demeurer trop longtemps. »*

« Je n'en ai pas l'intention. Mais pourquoi ? »

« Regardez encore la tapisserie. À l'endroit où c'est sombre. »

Jori regarda. Pour la première fois, elle remarqua vers le centre une tache irrégulière noire, vrombissant en son centre. À l'intérieur, des silhouettes formaient des ombres, et des formes sombres glissaient à travers un paysage invisible. Filtrant de l'obscurité, se ramifiant dans les sections décolorées de la tapisserie, il y avait d'épaisses lignes noires qui coulaient comme des rivières.

« Qu'est-ce que c'est ? », murmura-t-elle.

« Je l'ignore. Je ne l'ai pas filé. C'est simplement apparu un jour. Mais cela s'élargit chaque fois qu'un autre rêve commence à mourir. »

Pendant qu'Arachnea parlait, un tentacule noir frétilla du centre de la tapisserie, serpentant entre les images étincelantes. Il atteignit un magnifique paysage de rêve d'un veld africain et le sectionna. L'image commença immédiatement à palpiter, les couleurs s'écoulant à partir d'elle.

Jori détourna son regard avant même de réfléchir à la signification de ce qu'elle venait de voir. Elle s'assit sur le sol et ferma les yeux. « D'accord, Arachnea. Agissons rapidement, avant que le vieil homme ne revienne. » Elle soupira nerveusement. « Et avant que je ne change d'idée. »

« D'accord. Si vous êtes certaine. » L'araignée parlait d'une voix bizarrement basse. *« Bonne chance, humaine. »*

Jori était à peine capable de réfléchir à cause des pulsations du sang qui battait dans ses oreilles. Finalement, elle secoua la tête et les bras, obligea son cerveau à s'éclaircir. Essaie d'imaginer la maison, se dit-elle. La maison comme elle était auparavant. Maman et Papa qui rient dans la cuisine, et je suis dans mon lit, me souvenant de l'histoire...

Sa peur s'éloigna peu à peu, et bientôt elle sentit les doux fils de la toile d'Arachnea se poser sur elle, chauds comme un baiser. Jori soupira, oubliant tout de la maison défraîchie, des rivières noires, et du monstre qui bientôt monterait l'escalier.

NEUF
AVENDAR

Jori respira profondément – plus profondément qu'elle ne l'avait fait depuis des mois – et se pelotonna sur le côté, heureuse comme un petit enfant. Elle sentit que son corps devenait chaud et léger, chaque atome rayonnant d'une énergie étrange. Quand il ne subsista plus aucune sensation de son moi physique, son esprit se dégagea doucement de son corps dans un halo de lumière.

Un ruban saphir chatoya au-dessus d'elle. Mon fil de rêve, pensa Jori. Pendant qu'elle le regardait, il redescendit lentement, flottant vers elle, pour l'envelopper, et il commença à vibrer des images tremblotantes qu'il tirait de son cerveau. Elle ne fit qu'un avec le rêve, et ensemble ils s'élevèrent dans un ciel silencieux. En bas, la pièce se transforma en une miniature éloignée, puis disparut complètement.

À sa place, un champ émeraude se déployait, comme une courtepointe de satin. Dans ce champ, des images familières prirent forme ; les collines bleues vallonnées, le pré doré, et une forêt de minuit, lui souhaitant la bienvenue.

Le fil s'étira de plus en plus, ondulant en vagues vers le rivage, et Jori reprit forme sur sa surface tourbillonnante. Plus forte que les autres, une vague la souleva sur sa crête et l'emmena vers la voûte de la forêt. Les branches du plus grand arbre l'accueillirent, puis la firent passer tendrement de rameau en rameau. En quelques instants, le doux mouvement d'oscillation l'endormit en la berçant, dans un profond sommeil sans rêves.

Quelques heures plus tard, Jori se réveilla dans la splendeur d'une pleine lune, sa tête couchée sur un doux oreiller de mousse et de feuilles. Une brise fraîche folâtra sur son visage, et elle respira la fragrance de la résine et du miel. À la lumière de la lune, le vallon étincelait comme s'il était saupoudré de souvenirs.

S'assoyant, Jori s'étira bien les bras tout en courbant le dos un peu à la manière d'un chat qui s'éveille. Dans ce mouvement, ses doigts touchèrent un fil bleu clair qui se balançait à quelques centimètres plus loin, suspendu de nulle part.

Jori se rendit compte que c'était le fil de rêve. Elle referma ses doigts sur lui, et remarqua qu'il restait du tissu cicatriciel sur sa main. Bien, pensa-t-elle sinistrement. Je sais toujours qui je suis et où je suis.

Comme pour souligner la réflexion, un long hurlement résonna dans le lointain.

Jori se leva et contempla la vallée, essayant de détecter un point de repère sécuritaire qui lui permettrait de retrouver le fil lorsqu'il lui faudrait repartir. À la base d'une falaise tout près, un bouleau blanc spectral se dressait comme une sentinelle. Elle avança vers lui et se pencha, enroulant soigneusement le fil bleu autour de la base de son tronc.

À nouveau, le hurlement transperça l'air, et Jori se raidit. C'était maintenant beaucoup plus rapproché. La note perçante résonna une troisième fois, s'élevant maintenant juste derrière le cercle d'arbres. D'autres voix se joignirent à la première, leurs cris stridents se mêlant en un choeur à l'unisson qui lui donna froid dans le dos et qui devenait de plus en plus fort et de plus en plus sauvage à chaque cri. La respiration de Jori s'accéléra. Qui qu'ils soient, pensa-t-elle, ils m'ont trouvée. Et ils sont partout.

Puis soudainement, très brusquement, le hurlement s'arrêta. Tout autour de la clairière, des yeux jaunes réfléchirent le clair de lune. Jori trembla pendant que des silhouettes sombres se formèrent derrière ces yeux – des formes aux poitrines massives, aux oreilles pointues, et des dents comme des pointes acérées.

Des loups.

Elle sentit ses paumes devenir plus humides. C'était une chose que de collectionner des figurines sur une étagère, c'en était toute une autre que d'entendre leurs grognements discordants, de sentir la chaleur sauvage de leurs corps. Comme s'ils avaient ressenti sa peur, les animaux se glissèrent hors de l'obscurité et formèrent un demi-cercle autour d'elle, pelages gris bordés de clair de lune. Jori recula vers le rocher, près du bouleau qui se balançait. Elle s'accroupit et chercha à l'aveuglette le fil de rêve. Mais sa main tremblait trop pour le trouver.

Une des plus grosses bêtes brisa le cercle et marcha vers elle d'un air digne. Elle huma son cou et ses bras, puis la fixa sans détourner le regard. Satisfaite, elle revint vers ses compagnons. Jori cligna des yeux, certaine qu'elle l'avait vu hocher la tête.

À son signal, les loups s'assirent et rejetèrent leurs têtes par derrière. Une fois de plus, leurs hurlements brisèrent l'obscurité. La lune luisait, plus brillante, comme si elle tirait de l'énergie de leurs gémissements sauvages.

Jori écouta, terrifiée et impressionnée. Puis une note haute et claire résonna au-dessus d'elle, si pure et si perçante, qu'elle noyait les voix plus rudes des loups. Peu à peu, les hurlements prirent fin et les bêtes se rapprochèrent, faisant face au mur de pierres. Leurs yeux dorés chatoyants, ils étirèrent leurs pattes de devant plutôt raides, dans un salut profond.

La note puissante se termina en un grognement guttural. À la surprise de Jori, elle entendit quelqu'un parler juste au-dessus d'elle. Une voix aussi profonde et aussi primale que la forêt elle-même.

« Vous avez bien travaillé, mes amis. »

Le cœur de Jori bondit. Quelqu'un était là, et c'était quelqu'un qui pouvait la sauver de ce cercle mortel de loups.

« Hé ! », cria-t-elle. « J'ai besoin d'aide ! J'ignore combien il me reste de temps avant que ces choses ne décident que je serai leur repas. »

Il n'y eut pas de réponse. Mais un éclair d'énergie traversa l'air comme une flèche, explosant dans la clairière comme une nouvelle étoile. Jori haleta en même temps qu'une magnifique louve quitta le halo de lumière en bondissant et en tournant autour d'elle pour lui faire face. Une intelligence saisissante éclairait les yeux de la louve, et son pelage était encore plus brillant que la lune.

« Bienvenue, ma fille », dit-elle.

Jori la fixa.

« Qui êtes-vous ? »

« Mon nom est Ragar. Et nous sommes à Avendar. »

Pendant juste un instant, le souvenir de l'histoire de son père lui revint douloureusement : *dans la plus verte des forêts vertes d'Avendar, vivait un loup solitaire…*

« Oui », dit la louve, comme si elle lisait dans ses pensées. « Et ainsi, vous savez que vous n'avez rien à craindre de moi. » Jori demeura silencieuse, se méfiant encore des bêtes qui l'entouraient. Les yeux de Ragar luirent avec amusement. « Et personne ici n'a l'intention de vous manger, non plus. »

« Vous en êtes certaine ? »

Les mâchoires de Ragar s'écartèrent en un sourire canin. Mais, elle grogna d'une voix rauque, et ses compagnons disparurent dans la forêt. Les épaules de Jori se détendirent. La louve argentée continua.

« C'est bien que vous soyez ici, et que vous soyez arrivée la première nuit de la pleine lune. Autrement, nous ne vous aurions peut-être pas trouvée. »

« Vous me cherchiez ? »

« Bien sûr. Depuis le moment que j'ai senti que vous étiez ici. »

« Et pourquoi exactement ? »

« Pour vous protéger. Pour vous offrir mon aide, lorsque vous en aurez besoin. »

Elle n'est pas réelle, se rappela Jori. C'est mon propre cerveau qui l'a fabriquée. « Je n'ai besoin d'aucune aide. Particulièrement pas d'un produit de mon imagination. »

Ragar demeura silencieuse pendant un moment. « Votre imagination est plus puissante que tout dans ce monde, ma fille. Ne rejetez pas ce qu'elle vous offre — peu importe si la forme est invraisemblable. » Ses yeux sombres étaient maintenant froids, orgueilleux. « Et rappelez-vous aussi ceci. La confiance est un beau trait de caractère. Mais ce n'est pas le cas de l'arrogance. »

Jori rougit. Mais ensuite, elle pondéra les paroles de la louve. Pour survivre dans la tapisserie, dans cet univers inventé, elle devait se débarrasser de son cynisme habituel, et même de son entêtement encore plus coutumier. Elle s'obligea à parler d'un ton respectueux.

« D'accord. Je suis désolée, Ragar. Et j'ai besoin de votre aide. »

« Je sais. Venez avec moi. » La louve marcha jusque vers l'extrémité de la clairière et disparut dans un chemin raboteux. Jori se hâta de courir après elle, suivant la trace de la faible lueur argentée pendant que la louve se glissait comme un fantôme à travers les bois. Elle pouvait entendre le reste du peloton, qui les suivait, de très près, mais invisible.

Après un kilomètre environ, la forêt commença à être plus clairsemée, et l'aube se leva sur la voûte verte changeante. Des éclairs de lumière colorée vibrèrent sur les pierres et les troncs d'arbres, et Jori marcha plus rapidement, soupçonnant l'origine probable de la lumière. Le cœur battant, elle courut vers l'extrémité de la forêt et se fraya un passage vers le dernier groupe d'arbres.

Oui, pensa-t-elle. Oui.

Le pré doré s'allongeait devant elle, ses pelouses d'herbes aux têtes duveteuses ondulant sous une brise chaude. Des arbustes roses parfumaient l'air d'une odeur de menthe, et de minuscules créatures ailées dotées de corps qui ressemblaient à des dragons s'élançaient comme des flèches de fleur en fleur.

Et brillante comme une offrande, à des kilomètres de distance, la montagne de cristal se dressait dans le ciel, s'élevant jusqu'à un halo de nuages pour capter la pleine gloire du lever du soleil. Des rayons brillants se déversèrent sur les falaises de verre, envoyant des milliers d'arcs-en-ciel pour danser sur Avendar tout entier.

Jori sauta dans la mer d'herbes du pré. Elle respira profondément l'air à saveur de bonbon, fixa les nuages pastel qui dessinaient des feux d'artifice au-dessus, atteignant les branches tortueuses des arbres qui tourbillonnaient. Puis, les bras étendus et les yeux fermés, elle commença à courir, imaginant que le bout de ses doigts caressait ceux de sa soeur, se permettant, juste un instant, de croire que la sensation était réelle.

« Bientôt ! », pensa-t-elle, se perdant dans le rêve. Peut-être que tout cela se terminerait bientôt, et Maman n'aurait plus à faire semblant...

Elle atteignit la partie inférieure des collines bleues et, Ragar à ses côtés, commença à grimper à pas réguliers. Presque à mi-chemin de l'escalade, Jori regarda à sa gauche, et elle marcha plus lentement. À deux ou trois kilomètres au loin, les couleurs apaisantes d'Avendar prenaient fin abruptement, comme si un couteau affilé les avait taillées. Le long du bord irrégulier de terre, une rivière noire bouillonnante se jetait sur ses berges comme si elle essayait de s'échapper.

Jori se souvint de la tapisserie, revit les tentacules noirs remuer en son centre. Sa petite flamme d'espoir commença à vaciller.

« Qu'est-ce que c'est ? », demanda Jori, même si elle connaissait déjà la réponse.

Ragar fixa l'eau sauvage, la peau de ses mâchoires se soulevant de ses dents. « C'est la rivière Noire. C'est une chose malade. Insensée. »

Provenant de l'eau, un grognement sourd se glissa vers eux, se transformant en un hurlement furieux.

Tremblante, Jori regarda Ragar.

« C'est la voix de la rivière », dit la louve. « Elle est affamée aujourd'hui. »

Jori détourna ses yeux de l'eau tourbillonnante, tentant de repousser le bruit de ses hurlements. Elle courut vers la crête de la colline, souhaitant désespérément apaiser sa vision en entrevoyant la vallée imaginée par sa sœur. Elle grimpa au sommet — et s'arrêta, horrifiée.

La vallée était mourante.

Il n'y avait plus rien de vert, aucune fleur ne fleurissait. La rivière brillante, qui s'était jadis écoulée en méandres sur le sol de la vallée, s'était rétrécie en une artère coagulée de boue. Une horrible brume jaune recouvrait l'ensemble du paysage, voilant la lumière faible qui se débattait à travers elle. Et emprisonnées dans sa lueur blafarde, comme des insectes restés figés dans le passé, il y avait les licornes.

Certaines reposaient essoufflées dans la faible lumière, les yeux creux, les côtes se soulevant et s'abaissant sous une peau terne. Les autres chancelaient vers ce qui restait du ruisseau, la lumière argentée de leurs cornes éteinte. Il y en avait aussi qui étaient allongées sur la pelouse, maintenant immobiles.

« Ragar », murmura Jori. « Que leur est-il arrivé ? »

Les yeux de la louve s'enflammèrent. « Regardez la montagne. »

Jori leva la tête. Même si les plus hauts sommets de la montagne de cristal réussissaient toujours désespérément à toucher le soleil, les bas des falaises étaient ternes et endommagés. Une brume sombre tourbillonnait autour d'eux, s'infiltrant à travers les fissures de verre, répandant le gaz mortel jaune qui avait asphyxié la vallée.

« Mais comment ? », murmura Jori. « Lisa ne le voudrait pas. Elle ne permettrait pas que cela arrive. »

« Non ? Rappelez-vous, ma fille, que des choses sombres sont tapies dans les recoins de votre esprit, des choses dont vous ne soupçonnez même pas l'existence. C'est ainsi que même les rêves les plus doux masquent peut-être un cauchemar. »

Jori se sentit sous le choc. Si le rêve était endommagé — s'il était en train de mourir — alors qu'arrivait-il à Lisa ? Elle descendit de la colline, Ragar sur ses talons, pour s'agenouiller près de l'une des licornes tombées. Prenant sa tête dans ses bras et la berçant, elle la tapota doucement. Mais elle était couverte de sueur, sa peau était froide. Des yeux ravagés par la fièvre roulèrent vers elle.

« Vous êtes revenue. »

Cette déclaration la surprit. Mais alors elle comprit. « Non. C'était ma sœur. » Son cœur battit plus fort. « Savez-vous où elle est ? »

Mais la bête ne fut plus capable de parler.

Jori la tint contre elle jusqu'à ce que s'arrête sa respiration torturée, et elle éclata en sanglots. Puis, à sa droite, un faible hennissement la surprit. Un petit groupe de licornes se pressaient dans une portion de la vallée encore réchauffée par les sommets les plus élevés de la montagne. Jori déposa doucement la tête de la licorne morte, pour se diriger rapidement vers les licornes.

Elle s'arrêta à quelques pieds seulement, incertaine de ce qu'elle devait dire ou faire. L'une des licornes fit un pas vers elle.

« Aidez-nous, s'il vous plaît », dit-elle, sa voix comme un murmure. « Guérissez la montagne. »

« Guérir la… » Elle se contracta à la vue du désespoir dans ses yeux. « Je suis désolée. J'ignore comment. »

« Mais vous devez savoir. Vous ressemblez tellement à l'autre. Et la montagne est tombée malade seulement quand elle aussi l'est devenue. »

La gorge de Jori se serra.

« Que voulez-vous dire, devenue malade ? Dites-moi ce qui est arrivé. »

Les animaux se regardèrent les uns les autres, déroutés, puis une seconde licorne s'avança.

« La fille vous ressemblait, mais le début de son séjour ici correspond à la période où chacun de nous avons reçu nos mémoires. Nous pensions qu'elle devait être l'esprit de la montagne — elle rayonnait avec autant d'intensité. »

Le rire de Lisa jaillit en cascades dans le cerveau de Jori, et sa gorge se serra.

« Mais alors », dit la première licorne, « elle a commencé à s'ennuyer de plus en plus et à devenir de plus en plus malheureuse. Et plus elle devenait malheureuse, plus elle perdait du poids, et plus elle faiblissait, et plus les ombres ont engouffré le cristal. »

« Mais qu'est-ce qui a changé ? Qu'est-ce qui l'a tant blessée ? »

« Nous l'ignorons. Nous avons essayé de la réconforter, mais elle est devenue furieuse. Elle a dit que nous cherchions à la tromper, que nous lui faisions oublier ce qu'elle cherchait vraiment. Peu de temps après, elle est disparue. »

Jori serra les poings. Mon Dieu, Lisa. Tout ceci, n'était-ce pas suffisant ?

« L'un de vous sait-il ce qu'elle voulait dire ? Ce qu'elle voulait découvrir ? »

« Elle ne nous l'a jamais dit. »

« Alors pensez ! », dit Jori, tapant du pied. « L'une de vous *doit* savoir quelque chose. »

Un cri sauvage perça l'air empoisonné. Levant les yeux, Jori vit une magnifique bête cornue qui se tenait sur le sommet le plus élevé de la montagne de cristal. Dès le moment où son regard se posa sur elle, la bête commença à descendre la montagne d'un bond.

« Qui est-ce ? », demanda-t-elle.

Une des licornes leva les yeux en tremblant. « Angel. »

L'énorme licorne bondit vers le dernier des sommets étincelants, juste au-dessus des sommets où tourbillonnait la brume noire. Elle se cabra, cria et sauta vers l'extrémité, plongeant vers le lit de la rivière.

Jori haleta. Puis deux magnifiques ailes blanches s'ouvrirent sur le dos de la licorne, et elle s'envola, remontant en flèche dans la vallée, portée comme un aigle par les courants du vent. Ses puissantes ailes battirent l'air, la faisant monter de plus en plus haut jusqu'à ce que Jori puisse à peine distinguer sa silhouette dans la lumière du soleil. Un moment plus tard, elle commença à descendre en spirales, glissant vers la colline sur laquelle elle se tenait.

Puis elle recommença à battre des ailes, plus doucement cette fois-ci, et elle se déposa sans bruit sur le sol.

« Jori », dit-elle. « J'espérais que vous trouveriez votre chemin jusqu'ici. »

Elle le regarda bouche bée. Mais à ses côtés, Ragar fit un signe de tête d'un air sérieux, et la licorne pencha la tête avec respect en direction de la louve. Jori finit par retrouver la voix.

« Comment savez-vous qui je suis ? Je ne me souviens pas de vous… avoir vue nulle part. »

« Des cheveux rouges comme du feu, un caractère à l'avenant — je ne pouvais m'empêcher de vous connaître », dit Angel, les yeux souriants. Puis sa voix se fit plus douce. « Parce que je connaissais bien votre sœur lorsqu'elle était ici. »

Jori se sentit brusquement soulagée. « Donc, vous devez connaître la raison de son départ, l'endroit où elle se rendait. Elle doit vous l'avoir dit. »

« Non. Elle est disparue sans avertir. »

Jori se sentit frustrée. « Alors je suppose que vous ne la connaissiez pas aussi bien que vous croyez. »

Ragar grogna de désapprobation, et les yeux d'Angel lancèrent des étincelles, ses ailes se raidissant à ses côtés.

« Je la connais, ma fille, peut-être mieux que vous. Lorsqu'elle est partie, j'ai eu l'impression qu'on avait déchiqueté mon âme et mon corps. »

Jori tressaillit devant la douleur crue de sa voix. « Je suis désolée », murmura-t-elle. « Parfois je dis des choses sans réfléchir. »

Angel se détendit. « Je sais. Ne vous inquiétez pas. »

« Pourtant… n'avez-vous aucune idée où elle se trouve ? »

« J'ai cherché dans tout Avendar, mais je n'ai découvert aucune trace d'elle. »

Les yeux d'Angel s'obscurcirent. « Ce qui veut dire, que oui, je crois que je sais où elle est. »

« Où ? »

« À Maligor. »

Jori sentit la peur la transpercer comme un couteau. Elle regarda Ragar.

« Maligor, c'est la région sombre, Jori », dit la louve. « C'est de là que proviennent les rivières noires, et c'est là qu'elles retournent toutes. »

La région sombre. Une fois encore, Jori se représenta le cœur vibrant de la tapisserie du vieil homme, entendit les courants de la rivière Noire. Puis, elle se rappela ce qu'Arachnea lui avait dit à propos de la tache sombre qui avait endommagé son précieux chef-d'œuvre : « *Mais cela s'élargit chaque fois qu'un autre rêve commence à mourir.* » Et maintenant Jori savait comment tout cela se passait. La rivière engouffrait les rêveurs trahis par leurs rêves.

Jori s'effondra sur le sol, des larmes coulant sur son visage. « Donc, c'est vrai ? Elle est partie pour toujours ? »

Angel jeta un regard vers Ragar. « Seulement si vous voulez qu'elle le soit. »

« Quoi ? Bien sûr, je ne veux pas qu'elle soit partie. Quelle chose stupide à dire ! »

La licorne contracta ses ailes, mais cette fois elle ne parut pas fâchée. « Alors, vous devez aller la chercher. »

« Non ! », dit une des licornes, s'imposant entre Jori et Angel. « Nous avons besoin d'elle ici. Si elle part, la montagne mourra. Nous mourrons tous. »

« Demeurez avec nous », supplia la seconde licorne. « Nous vous protégerons contre la rivière. Contre la région sombre. »

Angel se tourna et se cabra, donnant des coups de sabot. « La protéger ! », dit-il, dégoûté et les yeux en furie. « J'ai pensé que je pouvais protéger sa sœur. Mais j'ai eu tort. » Jori pouvait détecter de l'angoisse dans sa voix. « Croyez-vous vraiment qu'elle sera en sécurité ici ? Ou ne fera-t-elle que perdre son âme un matin et disparaître, comme ce fut le cas pour l'autre ? »

Les deux licornes esquissèrent un mouvement de recul et battirent en retraite. Angel rejeta sa crinière vers l'arrière, puis reporta son attention vers Jori, qui tremblait encore.

« La Rivière n'a pas pris votre sœur, Jori. Lisa est partie d'elle-même. C'est une chose terrible, mais cela signifie qu'elle était encore assez forte pour choisir sa propre voie. Et peut-être qu'elle l'est encore assez pour en choisir une autre, si quelqu'un voulait l'aider. »

« Je veux l'aider. Mon Dieu, je veux tellement l'aider. Mais est-ce que Maligor ne me détruira pas aussi ? »

« Non », dit Angel doucement. « Pas vous. »

Jori se retourna vers la louve argentée. « Ragar ? Que devrais-je faire ? »

« Vous le savez déjà. Vous n'avez pas le choix. »

« Non. Je suppose que je n'ai pas le choix. » Mais elle hésita, car il lui fallait mieux comprendre un détail. « Angel, si vous saviez où elle était, pourquoi n'êtes-vous pas allé la chercher ? »

Une ombre apparut dans le visage d'Angel. « Il y avait des raisons. »

Jori attendit que la bête soit plus loquace, mais elle demeura silencieuse. « D'accord », dit-elle finalement. « Je suppose que je dois partir. Mais de quelle manière puis-je me rendre là-bas ? Comment est-ce que je traverse les rivières Noires ? »

« À ce sujet, je suis *capable* de vous aider », dit Angel, et elle étendit ses ailes.

Pendant juste un instant, l'excitation balaya les peurs de Jori. Après une vie passée à prendre le métro et les autobus, elle allait voyager sur une licorne volante.

Angel plia ses pattes de devant et s'agenouilla, permettant à Jori de monter sur son épaule et de s'élancer sur son dos. Elle se positionna rapidement entre les muscles solides de ses ailes.

« Jori. »

Elle baissa les yeux vers la louve. Ragar faisait les cent pas, ses yeux brillants, son pelage argenté maintenant devenu d'un blanc étincelant.

« Écoutez-moi avec attention. Rappelez-vous qu'en ce monde, la réalité n'existe pas, seule existe la perception. Donc rien ici ne correspond nécessairement à ce à quoi il ressemble. » La voix de la louve s'adoucit. « Mais cela veut aussi dire que vous pouvez transformer ce lieu comme bon vous semblera. Faites confiance à vos instincts, ma fille. »

Traversé par la lumière, le pelage blanc de la louve commença à briller, à un point tel que Jori dut se protéger les yeux. « Attendez, ne partez pas maintenant ! », cria-t-elle. « Je ne comprends pas ce que vous voulez dire ! »

La lueur enveloppa la louve en une sphère éclatante, et sa voix rude parvint de partout et de nulle part, tourbillonnant autour de Jori comme une tornade.

« Peut-être que vous ne le savez pas maintenant », dit la voix. « Mais vous le saurez. »

La sphère explosa comme une étoile.

DIX
PRISONNIÈRE DE GUERRE

Ragar avait disparu. Clignant des yeux, Jori baissa les mains. « *Très* joli », dit-elle, en chancelant un peu. « Qui est-ce qui s'occupe des effets spéciaux ? »

Angel rit, secouant la tête. « Vous n'êtes pas mal romantique, n'est-ce pas ? Espérons que mes propres efforts ne vous paraîtront pas aussi banals. » La bête fit un mouvement brusque vers l'avant, transperçant presque l'air et, les ailes déployées, la tête baissée, elle s'élança comme l'éclair au-dessus du pré. Finalement, en se donnant une puissante poussée avec ses pattes de derrière, elle bondit vers le haut, ses ailes remarquables battant l'air.

Jori haleta et s'agrippa frénétiquement à la crinière flottante d'Angel. Bientôt, la vallée derrière eux devint d'un safran flou, et les deux montèrent en flèche vers les plus hauts sommets de la montagne de cristal.

« Impressionnée déjà ? », demanda Angel.

« Presque ! »

Le sommet toujours brillant se trouvait maintenant juste au-dessus d'eux, étincelant au milieu de délicates volutes de nuages. Angel vola plus haut parmi les lumières tremblotantes, et en quelques instants, la licorne et Jori atteignirent le versant le plus éloigné de la montagne.

Les arcs-en-ciel disparurent, en même temps que les derniers vestiges du rêve de Lisa. Loin derrière les sabots d'Angel, de minces vrilles de la rivière Noire se faufilaient à travers le paysage de rêve, crachant leurs poisons sur les forêts fragiles, étouffant les racines de leurs arbres mourants. Jori pouvait apercevoir les créatures décharnées étendues sur le sol, ternes et complètement immobiles.

Elle eut elle-même l'impression de pâlir de plus en plus.

Angel continua de voler, s'éloignant toujours de la montagne en putréfaction, vers un paysage qui se faisait de plus en plus aride. Bientôt, ils atteignirent la rivière Noire elle-même. Jori pouvait entendre à nouveau son grondement affamé, ses coups de griffes sauvages sur chaque berge. Refusant d'en voir plus, elle ferma les yeux et compta les battements d'ailes d'Angel.

Un courant d'air froid frappa ses joues. Elle ouvrit brusquement les yeux et elle regarda vers le bas pour apercevoir un endroit qui était aussi différent d'Avendar qu'elle aurait pu l'imaginer.

La plus grande partie du haut de ce paysage de rêve était déchiquetée et pourrie, divisée par deux rangées de montagnes massives qui passaient parallèlement, du nord-est au sud-ouest. Une vaste vallée les divisait, et un lac sombre et froid brillait au centre. La partie la moins élevée du territoire était sectionnée par trois longues vallées de rivières, et les régions intérieures semblaient également divisées en terres agricoles ondulées et en landes nues et rocailleuses.

Angel volait maintenant au-dessus de la plus rugueuse de ces sections, sous une nuée de nuages mouillés et gris. Malgré la faible lumière, Jori était capable d'apercevoir au loin une forêt dense et un regroupement de tentes massées dans une clairière.

Des tentes comme celles qu'elle avait déjà vues dans un film.

« Angel, attendez ! Emmenez-moi ici, en bas, vers ces rochers. »

« Pourquoi ? Votre sœur n'y est pas. »

« Non. Mais quelqu'un d'autre que je connais s'y trouve. »

Ange sembla faire une pause à mi-vol, planant avec aussi peu d'effort qu'un colibri.

« Que me demandez-vous de faire, Jori ? Si vous vous arrêtez ici, votre sœur s'éloignera encore plus de vous. Est-ce que ce… cette autre personne vaut vraiment ce risque ? »

En valait-il la peine ? Se demanda Jori. S'il l'avait seulement écoutée lorsqu'ils étaient revenus chez le vieil homme, elle n'aurait pas du tout besoin de le sauver. Et s'il était trop stupide ou trop lâche pour s'occuper de lui-même maintenant, pourquoi s'inquiéterait-elle à son sujet ?

Parce que, répondit une autre partie d'elle-même, il ne serait pas là, si ce n'avait été d'elle. Elle s'était promis.

« Angel, je suis désolée. Mais il faut que je le fasse. »

Elle pouvait ressentir la frustration de la licorne pendant qu'elle regardait vers une partie de la tapisserie qu'elle ne pouvait pas encore apercevoir. Mais alors la bête fit un signe de tête.

« D'accord. Je suppose que… cette obstination fera de vous un bon parti pour Maligor. »

Angel changea de position et commença à glisser vers le sol. Comme elles s'approchaient, Jori se rendit compte que la licorne devenait de plus en plus floue, de moins en moins solide. De fait, elle était finalement capable de distinguer les rocs qui se trouvaient sous elles à travers son corps. Elle parla de nouveau, sa voix soudainement épuisée et empreinte d'urgence.

« Vous devrez sauter. »

Elle fixa les rochers.

« D'ici ? Vous *plaisantez* ? »

« Nous n'avons pas d'autre choix. Je suis incapable d'entrer dans cet endroit. » Elle planait bas au-dessus du paysage rocailleux, haletant à cause de l'effort. « *Maintenant,* Jori ! »

« J'y vais ! » Elle fit basculer une jambe au-dessus des épaules d'Angel et fixa le sol, qui était encore trop éloigné pour la satisfaire.

« Je compte jusqu'à trois », cria Angel. « Un... deux... »

Jori sauta.

Elle frappa durement le sol et dévala une petite colline. Lorsqu'elle cessa de rouler, elle se leva avec peine et scruta le ciel du regard. Angel était maintenant à peine visible, presque impossible à distinguer parmi les nuages gris derrière elle.

« Trouvez votre ami, si vous le devez », lui cria-t-elle. « Mais ensuite, trouvez votre sœur. Trouvez-la, Jori, et ramenez-la à la maison. »

Elle disparut.

Jori ressentit le choc de la perte. Quelque chose de plus qu'Angel venait juste de disparaître, quelque chose qu'elle était incapable de nommer. Mais ensuite le vent frisquet lécha son visage et ses bras, et elle frissonna. « Imbécile », marmonna-t-elle, pas vraiment certaine si elle référait à Newt ou à elle-même. Elle chercha à toucher les boutons de son veston de ses doigts raidis, puis elle s'immobilisa, surprise. Ce que ses mains avaient touché ne ressemblait en rien à son veston.

Elle baissa les yeux. Une veste de fourrure grise entourait ses épaules, retenue à la taille par une mince bande de cuir. Arrachant la fourrure de sa poitrine, elle aperçut une tunique rudement tissée. Elle recouvrait une blouse ample de tissu épais, d'un blanc terne, et un sous-vêtement de coton plus mince, l'enveloppait en dessous. Autour de son mollet étaient attachées de hautes bottes, et sur sa tête était ajusté un capuchon de fourrure. Tout l'ensemble empestait l'huile, la saleté et la sueur, comme si elle l'avait porté depuis des semaines.

Un objet lourd était attaché dans son dos et elle tâtonna derrière ses épaules. Ses doigts tâtèrent une sorte de sac, et ce qui ressemblait à une poignée de bois. Elle agrippa la poignée et la serra, les genoux pliés et l'effort la faisant se pencher vers l'avant. Une épée massive tomba lourdement sur le sol devant elle.

« D'accc-cord », dit-elle à voix haute. « Voilà qui est différent. » Elle fixa l'épée, puis regarda aux alentours. Elle ne vit rien ni personne, mais quelque part, elle pouvait entendre de faibles accents de musique, étranges et discordants, comme des chats en train de chanter.

C'est peut-être l'endroit où se trouvent les tentes, pensa-t-elle. Et il est préférable que Newt s'y trouve, sinon j'ai de sérieux problèmes.

Elle remit l'épée à sa place et entama le chemin ardu sur le sol inégal, trébuchant et jurant, en se blessant les mains sur les pierres acérées. Après une heure environ, elle aperçut les bois qu'elle avait entrevus d'en haut. Les arbres devinrent plus grands, plus épais, plus nombreux, et rapidement, elle se retrouva dans l'ombre d'une magnifique forêt de pins, guidée par les hurlements des chats.

Les arbres et les buissons formaient un parcours d'obstacles naturels. De petits arbustes de bois écorcé avec des épines irritantes déchiraient ses vêtements, des vignes poussant au sol de façon désordonnée accrochaient les bouts de ses bottes, et les branches hardies des sorbiers lui accrochaient les yeux. Jori découvrit une dague aiguisée dans un fourreau de sa ceinture et commença à s'en servir pour taillader la pire portion du labyrinthe. Mais la lumière commençait à faiblir. Si elle ne trouvait pas bientôt le camp…

Une branche se cassa d'un côté, et elle regarda dans cette direction en plissant les yeux. Pas très loin, une forme disparut dans un taillis d'arbres. Elle commença à crier, puis elle se rendit compte qu'il ne s'agissait plus de son rêve et qu'elle était une fille, et qu'elle était seule.

Elle se déplaça aussi rapidement qu'elle le pouvait dans la direction où était disparue la silhouette, se débattant en passant à travers un enchevêtrement de vignes. Un peu plus loin, elle entendit des rires et se laissa tomber en position accroupie. Déplaçant une branche feuillue vers le côté, elle pouvait seulement distinguer la forme humaine qu'elle avait aperçue auparavant — grand et mince, pas assez trapu pour être un adulte. Puis une seconde forme sortit des bois. L'homme était aussi grand, mais plus fort, plus musclé. Il tenait une grosse airelle dans sa main droite.

« Qu'est-ce que t'en penses ? »

Le garçon plus mince posa une main sur son menton et sembla réfléchir. « Bien, je crois que ça nous nourrira toi et moi. Mais qu'est-ce qu'on fait des autres ? »

« Ouache, on a rien qu'à ne pas leur dire. »

Le garçon mince se mit à rire. « Bonne idée, Kieran, mais William nous a envoyés pour trouver un sanglier. On est mieux d'essayer un peu plus longtemps. Je viens juste de là… », pointa-t-il dans la direction de Jori — « allons donc vers le ruisseau. » Mais Jori fixait son visage. Ses traits étaient délicats, oui, et son nez était trop gros pour son visage. Et de longs cheveux sable recouvraient ses yeux.

« *Newt ?* »

Elle n'avait que murmuré le nom, mais le visage du garçon mince se figea, comme s'il l'avait entendue. Il se retourna, se dirigea près de l'autre jeune, et Jori vit qu'il penchait la tête vers l'oreille de l'autre. Son compagnon lui fit signe que oui, et ils se déplacèrent soudainement dans deux directions différentes.

« Zut ! » Jori se précipita vers le garçon qui ressemblait à Newt. Mais il marchait trop rapidement pour elle, et en quelques minutes, elle l'avait complètement perdu. Pire encore, elle ne pouvait plus entendre les bruits du camp. Elle s'arrêta, frustrée.

Puis elle sentit quelque chose de pointu dans le creux de son dos.

« Et qu'est-ce qu'on a ici ? », dit une voix tranquille. « Un espion ? »

Jori leva les mains lentement, son cœur battant à tout rompre.

« Je n'essaierais pas de prendre mon épée, si j'étais vous. À moins que vous ne vouliez plus jamais être capable de tenir quoi que ce soit. »

Jori commença à répondre, puis se souvint de son autre peur.

« Je ne suis pas un espion », dit-elle d'un ton bourru, essayant de paraître aussi masculine que possible.

« C'est sûr, que vous ne l'êtes pas. C'est pour ça que vous vous approchiez de nous sans faire de bruit. »

Jori commençait à s'énerver. « Je ne m'approchais pas sans bruit. Et je vous l'ai dit, je ne suis pas un espion. » Personne ne répondit. « Puis-je au moins savoir à qui je parle ? Et pouvez-vous enlever l'épée de mon dos ? »

« Je pourrais », dit la même voix tranquille. « Mais retournez-vous lentement. »

Gardant les mains levées, Jori se retourna pour faire face au ravisseur. Elle plissa les yeux vers les ombres, et ne put que distinguer la silhouette grande et maigre qu'elle avait aperçue au début. Mais maintenant, elle ne se posait plus de questions sur son identité.

« Newt ! » Elle bondit vers lui, mais il recula rapidement d'un pas et pointa brusquement son épée vers elle.

« Reculez, petite dame », dit le garçon. « Et faites attention à la façon dont vous m'appelez. » Il cria par-dessus son épaule, gardant les yeux fixés sur elle. « Kieran ! Par ici ! »

Jori le fixa, déroutée. Puis, elle entendit des branches qui craquaient sous des pas. Un moment plus tard, elle entendit le second jeune entrer dans la clairière, sa propre épée levée. Il embrassa rapidement la scène devant lui.

« Bon travail, Nathaniel ! », dit-il, donnant une tape sur l'épaule du premier garçon. « Tu as réussi une bien meilleure prise que moi. »

Nathaniel. Donc c'*était* Newt.

« Newt, tu es idiot. Regarde ! C'est moi, Jori ! » Elle tira brusquement le capuchon de sa tête, et se positionna dans une faible tache de lumière qui se faufilait avec peine à travers les branches. « Tu vois ? », dit-elle, découvrant ses courts cheveux roux et lui montrant la partie de son visage où il y avait des cicatrices. « Jori ! »

L'aîné des jeunes, Kieran, jeta un regard vers elle, puis vers son compagnon. « Qu'est-ce qui se passe, Nathaniel ? Est-ce que tu connais ce mec ? »

« Je ne l'ai jamais vu de toute ma vie. »

Jori tapa du pied, frustrée. « Oh, pour l'amour de Dieu. Je ne suis pas un "mec" ! Je suis une fille ! » Elle jeta un regard vers Newt. « Je suis Jori. »

Mais dans les yeux du garçon, il n'y avait aucun indice qu'il la reconnaissait.

Kieran tourna autour d'elle, l'examinant des pieds à la tête. « Donc, vous êtes une fille, n'est-ce pas ? Je dois admettre que ce n'est pas la sorte d'espion que nous avons l'habitude de rencontrer. Qu'en penses-tu, Nathaniel ? »

« Je crois que nous ne sommes pas stupides. Que nous ne devons courir aucun risque. »

Kieran fit signe de la tête. « D'accord. Compris. Mais je ne suis pas certain que ce soit une bonne idée d'emmener une fille dans le camp. » Il ramassa le capuchon de Jori et le remit sur ses cheveux.

« Gardez-le ! », dit-il. « Et peut-être que vous devriez reprendre cette voix basse que j'ai entendue tout à l'heure. C'était vraiment convaincant. » Jori voulut lui donner un coup de pied. Mais alors, il fit un clin d'œil et un coin de sa bouche se contracta.

« D'accord, alors », continua Kieran. « Allons vers le camp, voyons ce que William en pensera. »

Newt fit signe que oui de la tête d'un air renfrogné et fit signe à Jori de se retourner. Il tira brutalement les mains de Jori derrière elle et les attacha fermement au moyen d'une mince bande de cuir. Une pensée effrayante s'imposa dans son cerveau. Qu'arriverait-il si Newt l'*avait* vraiment oubliée ? Cela faisait peut-être partie du pouvoir de la tapisserie — dérober les souvenirs. Si c'était vrai, alors elle était vraiment prisonnière ici.

Les trois marchèrent en silence. Kieran se plaçait parfois à côté d'elle pour lui offrir un sourire rassurant, mais Newt lui-même semblait agité, nerveux, regardant constamment vers l'arrière comme s'il avait entendu quelque chose. À un moment donné, suivant son regard, Jori crut apercevoir un éclair argenté dans l'obscurité. Elle sentit un élan d'espoir. Était-ce possible que la louve l'ait suivie ici ? Mais si quelque chose les suivait dans l'ombre, la chose demeurait cachée.

Bientôt, Jori prit à nouveau conscience du miaulement des chats. Le son devint plus fort, se divisant en une douzaine de voix accompagnées par des accords sifflants discordants. En moins de quinze minutes, les deux garçons l'avaient emmenée à l'extrémité d'une clairière. Ils firent une pause pendant un moment pendant que Newt vérifiait ses attaches, et elle put embrasser la scène du regard.

Dans le camp, il y avait une profusion de bruits et d'activités. On criait des blagues et des insultes comme on lance des pierres, et des rires grossiers se mêlaient aux paroles d'une chanson à boire entonnée d'une voix éraillée. Les chanteurs étaient accompagnés d'un homme qui faisait sortir un hurlement torturé à partir d'un mince tuyau et d'un petit soufflet. Les chats qui miaulent, pensa Jori, tressaillant.

Accroupis autour d'une fosse enfumée, une douzaine d'autres hommes mâchaient des morceaux de venaison découpés d'une carcasse ruisselante accrochée au-dessus du feu. Les autres paressaient autour du campement, nettoyant leurs armes ou jouant. Plusieurs de ces hommes étaient âgés, aux visages gris, taillés à la serpe, et Jori pouvait imaginer chacun d'entre eux étendu confortablement dans une chaise douillette en compagnie d'une demi-douzaine de petits-enfants qui réclamaient des histoires. Les autres étaient jeunes, certains encore imberbes.

Malgré la camaraderie, l'atmosphère était tendue, et plusieurs des hommes étaient assis en silence, fixant le sol. Jori remarqua un groupe moins nombreux où des hommes étaient serrés les uns contre les autres à l'extérieur de l'une des tentes, se penchant attentivement sur des marques que l'un d'entre eux traçait sur le sol avec un bâton.

Elle examina les environs avec méfiance pendant qu'on la conduisait dans la clairière. Toutes les conversations s'arrêtèrent, et le miaulement des chats prit fin.

« Qu'est-ce que c'est que ça, maintenant ? » Jori leva les yeux pour voir un homme grand et imposant se lever parmi un groupe près de la tente, puis s'avancer vers eux, ses longs cheveux flottants comme la crinière d'un lion. Tous les autres hommes du camp se retournèrent pour l'examiner. Bien sûr, pensa Jori. Kieran avait parlé de William. William Wallace.

Il s'arrêta devant eux, regardant Jori d'un air sceptique. « Est-ce tout ce que vous avez attrapé de votre voyage de chasse, les gars ? Ce ne sera pas un très gros repas. »

Kieran et Newt se regardèrent tous les deux en souriant.

« Ça, non », dit Newt. « C'est certain. Mais il était tout seul, pas loin du camp. J'ai cru qu'il s'agissait peut-être d'un scout anglais. »

L'homme plus âgé regarda Jori, qui le fixait d'un air de défi. Les yeux de l'homme se rétrécirent, et pendant un moment, Jori eut la certitude qu'il voyait ce qu'elle était vraiment. Mais alors, il fit un signe de la tête.

« Bon travail, Nathaniel. »

Newt sourit, ses joues rougissant de fierté. Mais quand ses yeux clignèrent à nouveau pour regarder Jori, le sourire s'évanouit.

« D'accord », dit Wallace. « Nous verrons ce qu'il sait. Mais j'ai des choses plus importantes à régler pour le moment. Attache le garçon dans l'une des tentes. Nous nous en occuperons plus tard. »

« Nathaniel », dit Kieran. « Est-ce que tu peux t'en charger ? »

« Ouais. Je peux. » Il se dirigea vers Jori et la poussa vers l'une des tentes. « Marchez. Par ici. »

Jori s'imagina en train de se tourner et lui donner un coup de genou à un endroit stratégique. Mais elle s'obligea à demeurer silencieuse et le laissa l'emmener vers l'une des tentes qui entouraient le campement. Pendant qu'ils marchaient à travers les groupes d'hommes, ceux-ci lui donnaient des tapes sur le dos, grognant leur approbation.

« Newt, est-ce que tu pourrais seulement… »

« Restez tranquille », dit-il, finissant par la pousser à travers les rabats de la tente. Il pointa brusquement de sa tête une couverture froissée dans un coin. Désespérée, elle s'y laissa tomber et Newt attacha ses chevilles avec une autre mince courroie de cuir. Puis, il se leva, lui jetant un dernier regard furieux, et sortit à grands pas de la tente.

Jori se débattit pour se défaire des attaches, puis s'effondra, vaincue. C'est super. Emprisonnée ici pour qui sait combien de temps, alors que le temps continuait à filer et à couler à travers la tapisserie. Elle se tortura les méninges, tentant désespérément d'imaginer ce qu'il lui fallait faire à présent. Alors, elle entendit une voix rude parlant tranquillement à l'extérieur de la tente — ou peut-être juste dans son esprit.

Dans ce monde, il n'y a pas de réalité, il n'y a que de la perception. Transformez cet endroit selon vos besoins.

« Je t'entends, louve », murmura-t-elle. Elle réfléchit rapidement.

« Hé, là-bas ! Je demande de parler à quelqu'un. N'importe qui ! Maintenant ! » Elle éleva la voix de plus en plus forte, plus irritante — cherchant à atteindre un ton exécrable qui forcerait Newt à revenir pour lui dire de se taire.

Les volets de la tente s'ouvrirent.

« Et quoi ? », demanda Kieran.

Elle leva les yeux, surprise. Elle avait besoin de voir Newt, non son invention. Mais alors elle vit une bouteille d'eau qui pendait de la ceinture de Kieran, et elle improvisa.

« Bien, tout d'abord, je prendrais un peu d'eau. Ou aviez-vous l'intention de me laisser mourir de soif ? »

Kieran cligna des yeux. Mais alors il s'accroupit près d'elle et posa sa bouteille sur ses lèvres.

« Buvez », dit-il. Pendant qu'elle avalait l'eau, les yeux du garçon jetèrent des regards furtifs sur ses poignets et ses chevilles attachées bien serrées.

« On dirait que mon frère a forcé la note. »

Jori retira ses lèvres de la bouteille. « Frère ? »

« Malheureusement. » Mais il prononça ces mots en souriant. « Bien, il n'est pas nécessaire de bloquer le sang. Je desserrerai un peu vos attaches. »

« Pourquoi est-ce que vous ne me les enlevez pas complètement ? »

Un sourcil se leva. « Parce que je ne suis pas cinglé. Pourquoi est-ce que je libérerais quelqu'un que nous avons trouvé qui était en train de nous espionner depuis les bois ? »

« Allez, Kieran. Vous savez que je ne suis pas ici pour vous espionner. »

« Je le crois, n'est-ce pas ? »

« Oui. La vérité, c'est que c'est la première fois que je m'éloigne de la maison. »

« Ah. Et où est votre maison, si je peux me permettre de vous demander ? Que fait votre famille ? »

Le cerveau de Jori s'embourba. Mais elle cherchait dans sa mémoire pour trouver une autre scène du DVD qu'elle avait visionné, il y a plusieurs mois.

« Nous élevons des moutons. »

Kieran hocha lentement la tête. « Vous êtes des Hautes Terres alors ? »

Jori n'avait aucune idée de ce qu'étaient les Hautes Terres ni où elles se trouvaient, elle espéra donc que le commentaire de l'homme ne constituait pas une forme d'attrape. « Oui. Les Hautes Terres. » Il fit signe de la tête, et elle se détendit. « Mais ma famille a des problèmes, Kieran. »

Kieran la regarda d'un air sceptique. « Quelle sorte de problèmes ? »

Jori fit trembler ses lèvres, se pinça le poignet pour que des larmes jaillissent dans ses yeux. « Des hommes… ils sont arrivés une nuit et ils ont brûlé notre cottage. » Jori laissa les larmes couler sur son visage.

Le visage de Kieran s'adoucit, ses yeux passant rapidement du bras de Jori au côté droit de son visage. Pour une fois, les cicatrices travaillaient en sa faveur.

« Maintenant, mon père est mort, et ma sœur… Elle est partie. Kidnappée. »

Elle vit la mâchoire de Kieran se serrer. « Vous ne savez pas qui est la personne qui l'a emmenée ? »

Jori secoua la tête — puis elle se rappela ce que Newt avait dit à William Wallace. « Nous avons entendu des voix qui parlaient anglais. »

Les yeux de Kieran brillèrent et il frappa son poignet sur sa cuisse. « Les bâtards d'Edward, que leurs âmes aillent se faire pendre ! Ils pensent que toute l'Écosse leur appartient — même les gens. » Il se leva, la mâchoire serrée. « Attendez ici. » Il sortit en trombe de la tente, heurtant le volet si fort qu'il se déchira.

Jori sourit, satisfaite d'elle-même. Quelques instants plus tard, Kieran réapparut, et elle se refit un visage désespéré. Il marcha vers elle, sortit un couteau et coupa les bandes qui retenaient ses poignets et ses chevilles.

« D'accord — Jori, c'est ça ? Venez avec moi. »

Elle suivit Kieran hors de la tente. La plupart des hommes étaient déjà endormis, ronflant bruyamment sous d'épaisses fourrures. Mais sur un rondin près du feu, fixant les flammes, William Wallace était assis. Alors qu'ils approchaient, il tourna la tête, sourit, et tendit sa main vers la main de Jori. Ses doigts étaient forts et chauds, ses yeux si intenses que tout devint irrésistiblement réel.

« Je suis désolé pour vos problèmes, jeune fille. »

« Merci, Monsieur », murmura-t-elle.

Une profonde douleur marquait le visage de Wallace. Jori se rappela les parties les plus tragiques de sa légende — les décès de son père et de son frère, et le meurtre de sa jeune femme par un soldat anglais. Elle dissimula cette connaissance dans son plan.

« J'ai peur, Monsieur. J'ai tellement peur de ce qui a pu arriver à ma sœur. »

Wallace ne dit rien, ses yeux ne la voyant plus.

« Ça va tuer ma mère si je ne la retrouve pas. Même savoir que le pire est arrivé serait préférable à ne rien savoir du tout. » La vérité de ses propos la frappa soudainement, et sa gorge se serra. « Pouvez-vous m'aider ? », murmura-t-elle. « S'il vous plaît ? »

À nouveau, il la regarda.

« Ouais, je le peux. » Il regarda Kieran. « D'accord, mec. Écoute-moi. Comme vous le savez, il m'est impossible de quitter le camp. Mais il est crucial que nous en sachions plus sur notre ennemi — où ils ont installé leur campement, leur nombre. Est-ce que tu comprends ? »

Kieran hocha la tête. « Oui, Monsieur. »

« Bien. Je veux que tu sois mon scout. Dirige-toi vers la rivière, voyageant de nuit, si tu le peux. Vois ce que tu peux découvrir. »

Newt se précipita soudainement dans la lumière du feu. « Et moi, Monsieur ? Deux paires d'yeux valent mieux qu'une. »

Wallace rit. « J'ai pensé que j'entendrais parler de toi, mec. Il n'y a rien que ton frère ne fait que tu ne veux pas faire aussi. »

Clic, pensa Jori d'un air suffisant. La seconde partie de son plan s'était nettement mise en place.

« D'accord, dit Wallace. Alors va avec lui. » Il jeta un regard vers Jori. « Et je veux que vous emmeniez la fille avec vous. »

L'expression de Newt se figea, et Jori retint un sourire.

« Êtes-vous certain, Monsieur ? » demanda Newt. « Elle ne peut que nous ralentir. »

« Mais pendant que vous cherchez l'Anglais, il se peut que vous trouviez aussi sa sœur. Et si quelque chose lui est arrivé... », son visage s'obscurcit. « Alors revenez et dites-le-moi. Elle *sera* vengée. »

L'après-midi suivant, Jori observa Kieran qui ramassait les provisions qui leur seraient nécessaires, les roulant en paquets serrés qu'ils pourraient apporter sur leur dos. Newt l'aida — remplissant leurs bouteilles d'eau, aiguisant leurs armes — mais jamais il ne dit un mot à Jori. Lorsqu'ils furent presque prêts, William Wallace vint vers les garçons avec un morceau de peau tannée, sur laquelle était grossièrement dessinée une carte.

« Voici l'endroit où nous sommes », dit-il. « Nous nous trouvons à seulement deux jours de marche à l'ouest de la Tweed. » Il pointa une ligne ondulée qui commençait à mi-chemin de la carte et ondulait vers le sud-est. « Étant donné que la maison de la fille se trouve dans les Hautes Terres, il est probable que les Anglais qui ont attaqué sa famille ont d'abord voyagé en amont, avant de traverser. Avec un peu de chance, ils devraient toujours camper le long des rives. »

Pendant que Jori écoutait, elle commença à se démener pour soulever son lourd sac. Elle entendit quelqu'un marcher près d'elle.

« Vous venez de passer un long et dur moment », dit Kieran. « Pourquoi ne me laissez-vous pas apporter certaines de vos choses ? » Elle le regarda avec indignation, et il recula, leva une main.

« D'un autre côté », dit-il lentement, « peut-être que vous pourriez apporter certaines des miennes. » Il sourit et Jori commença à lui sourire. Puis elle se reprit. Ne sois pas idiote, pensa-t-elle. Il n'est qu'imaginaire.

Enfin, il fut temps de partir. Juste avant leur départ, William Wallace marcha vers Jori et lui fit signe de s'approcher de lui. Il posa une main douce sur sa joue. « Je prierai pour vous, jeune fille », dit-il tranquillement. « Je prierai pour que vous et votre sœur voyagiez bientôt vers la maison ensemble. »

Cette fois-ci, les larmes de Jori étaient bien réelles.

ONZE
LE LONG DE LA RIVIÈRE

Le début de leur voyage se passa sans histoires, mais fut péniblement silencieux. Newt tint Jori à distance et ne montra toujours pas de signe qu'il la reconnaissait. Mais maintenant que fallait-il faire ? pensa-t-elle. Devrai-je m'en tenir à une interminable promenade dans la nature ?

Elle remarqua que Kieran l'observait, et elle avala nerveusement sa salive. S'il vous plaît, faites qu'il ne me demande pas autre chose, pensa-t-elle. Une autre question sur les Hautes Terres ou sur la tonte des moutons, et sa petite invention tomberait à l'eau.

Mais le garçon semblait plus curieux que soupçonneux, et lançait aussi des regards inquiets vers Newt. Finalement, il se plaça aux côtés de Jori et se pencha vers elle comme un conspirateur.

« Si nous devons voyager ensemble, Jori, je crois qu'il est important que vous en sachiez un peu plus sur nous. C'est un moyen d'établir la confiance, vous comprenez. Par exemple, est-ce que je ne vous ai jamais raconté la fois où ce frère, qui est le mien, avait décidé qu'il s'essaierait à pêcher ? »

Déroutée, elle leva les yeux, mais il inclina la tête en direction de Newt et fit un clin d'œil. Elle remarqua encore une fois son sourire en coin et ses yeux rieurs. Elle lui rendit son clin d'œil.

« Non, Kieran, je ne crois pas. »

« Bien. Alors, je vous le raconterai maintenant. C'est vraiment une histoire assez amusante. »

« Vous ne le devineriez jamais, mais il n'y a pas si longtemps, Nathaniel était un mec décharné, sans aucun muscle. De fait, sa seule tâche consistait à nourrir les poulets — et il n'était même pas bon pour ça, étant donné que les poulets le jetaient par terre continuellement. »

Jori remarqua que Newt tournait légèrement la tête pour écouter.

« Alors un jour, il est venu me voir, et il a dit : « Kieran, j'ai besoin d'être plus utile ici. Je sais bien que je suis trop chétif pour manier un arc, et je suis incapable de lever une faux quand il est temps de travailler aux champs. Mais même un mec maigre comme moi peut tenir une canne à pêche au-dessus d'un plan d'eau et attraper du poisson. Alors, mon frère, veux-tu me l'apprendre ? », dit-il. »

Devant, on entendit quelqu'un qui ronchonnait.

« Je ne t'ai jamais demandé de m'apprendre à pêcher. »

« Ouais, ne sois pas mal à l'aise, Nathaniel. D'ailleurs, qui raconte l'histoire, moi ou toi ? »

« Toi. »

« Alors, cesse de parler. » Kieran se concentra à nouveau sur Jori. « Donc, nous prenons deux cannes à pêche et nous nous dirigeons vers les Hautes Terres, près d'un des lacs situés sur le grand canal entre les montagnes. Je montre à

Nathaniel la manière d'enfiler sa perche, d'attacher son hameçon et d'installer l'appât. Ça lui prend une éternité, mais quand j'essaie de l'aider, il dit : « Ne peux-tu pas me laisser tranquille ? ». Donc, c'est ce que je fais — je le laisse tranquille. Finalement, son hameçon est dans l'eau. Et en peu de temps, il a une touche. »

« Et… ? », demanda Jori.

« Bien, il se place les pieds solidement et commence à tirer sur la perche. Mais la chose qu'il a attrapée à l'autre extrémité tire aussi fortement que lui. « Aide-moi, Kieran ! », qu'il crie, la sueur coulant sur son visage. « Mais Nathaniel », que je réponds, « tu m'as dit que tu voulais le faire toi-même. » Et je croise les bras et je regarde. »

« Puis — zoom ! Une large tête monstrueuse sort de l'eau, posée sur un long et mince cou. La chose est aussi grosse qu'un arbre et aussi hideuse qu'un crapaud, mais Nathaniel ne veut toujours pas abandonner sa perche. Bientôt, il se balance au-dessus du lac, accroché comme un chien à un os, et je ne suis plus certain lequel a attrapé qui.

« Je l'ai, Kieran ! » qu'il me crie. « Va chercher le filet ! »

« Je crois que le filet sera un peu trop petit », que je crie. « Il faudrait peut-être que tu penses à le remettre à l'eau ? »

« Jamais ! », crie Nathaniel. Et de ses deux mains, il tire la perche jusqu'à ce qu'il puisse y enrouler ses jambes. »

Jori toussota, essayant de son mieux de ne pas rire, tandis qu'elle imaginait Newt qui se balançait comme un amuse-gueule oublié dans la bouche du serpent de mer. Et même Newt finit par sourire.

« Donc, qu'est-il arrivé ? », demanda Jori.

« Bien, il semble que même si Nathaniel avait entrepris une formidable bataille contre le monstre, le monstre n'avait aucune idée de sa présence. Il a simplement continué à mâcher la ligne de pêche comme s'il s'agissait d'un morceau de gazon. Finalement, la bête mâche même la perche et à sa première bouchée, l'objet se casse en deux morceaux. Nathaniel tombe directement dans le lac. »

« Enfin, il resurgit, bafouillant et jurant, et commence à nager après la créature. « Allez, Kieran ! » crie-t-il. « Je suis encore capable de l'attraper ! Lance-moi une corde ! » Mais juste alors, la bête crache, se retourne et commence à glisser. Son cou disparaît, puis sa tête. Un moment plus tard, il ne reste plus rien d'elle, que des ondulations. » Kieran soupira. « Le pauvre Nathaniel n'a jamais attrapé un poisson. »

Autant Jori que Newt étaient mots de rire. « Et où ditesvous que tout cela est arrivé ? », demanda Jori, haletant.

« Sur le grand lac dans les Hautes Terres. Le lac Ness. »

Ils éclatèrent à nouveau de rire.

À partir de ce moment, Newt ne marcha plus loin d'eux. De fait, lui et Kieran divertirent tous les deux Jori en lui racontant des histoires sur leur vie dans le village et leurs aventures avec William Wallace. Newt lui sourit même à l'occasion, ou l'aida à ajuster son sac lorsque celui-ci commençait à glisser.

À la tombée de la nuit, ils avaient atteint la rivière Tweed. Chaque muscle du corps de Jori lui faisait mal, et elle grimaçait à chaque pas. Kieran finit par le remarquer.

« Pourquoi ne vous reposez-vous pas un peu ? », dit-il. « Je marcherai en avant et je trouverai un endroit où nous pourrons camper pour la nuit. Nathaniel, reste avec elle. » Il fit un signe de tête en lui indiquant un morceau de bois tombé, puis se dirigea le long de la rivière.

Jori se jeta sur le rondin, frottant ses cuisses et ses tibias. Ses pieds étaient enflés, et ses épaules affaissées par la fatigue. Comment pourrai-je jamais me relever ? pensa-t-elle. Elle entendit Newt qui marchait vers elle. Sa voix lui parvint dans un murmure.

« Je suis désolé, Jori. »

Elle sursauta. « Newt ? » Il fit signe que oui, et elle bondit, la douleur oubliée, ne sachant pas si elle avait envie de le serrer dans ses bras ou de lui donner un coup de poing. « Bon Dieu, Newt. Tu m'as fait peur à mort ! Je pensais que tu ne te souvenais plus de moi ! »

« Je ne me souvenais plus de toi. Pas au début. »

« Donc quand… ? »

Newt sourit d'un air narquois. « Je crois que c'est quand tu as commencé à crier après moi. »

« Donc pourquoi m'as-tu attachée ? Pourquoi n'as-tu pas dit quelque chose alors, avant que nous nous rendions au campement ? »

« Je n'étais pas encore prêt. »

« Quoi ? D'admettre que tu me connaissais ? »

« Ouais. Non. C'est seulement… ça a été tellement différent pour moi ici. Personne ne pense que je… personne ne pense que je ne suis pas capable de m'occuper de moi. Je suis simplement un individu au milieu de la bande de William. »

Jori se remémora l'accueil que Newt avait reçu à son retour au camp, le fait que chaque homme semblait être fier de lui.

Newt continua. « Et tu vois mon lien avec Kieran. »

« Je le vois, Newt. C'est un frère extraordinaire. » Jori prononça doucement les paroles suivantes, délibérément.

« C'est un rêve merveilleux. »

Son sourire s'évanouit. « De quoi parles-tu ? »

« Newt, ne joue pas ce jeu-là. Si tu sais qui je suis, alors tu sais *exactement* de quoi je parle. La tapisserie. »

Mais Newt avait cessé de l'écouter. Il fixa le chemin devant eux. « Kieran devrait être de retour maintenant. Il est préférable que j'aille vérifier où il est. »

« Écoute-moi. Je sais ce que cela signifie pour toi. Mais rien de tout cela n'est réel. Juste toi, et moi. Et Lisa, si nous sommes capables de la trouver. »

Il bondit vers elle, le visage angoissé. « C'est réel ! Ne dis pas que ce n'est pas réel ! Parce que si ce ne l'est pas... »

« Newt... »

Une branche craqua, et Jori regarda de ce côté, espérant voir Kieran. Au lieu de cela, deux silhouettes sombres se détachèrent des ombres.

« Bon, bon. Regarde qu'est-ce qui s'est perdu dans les bois. »

Deux hommes avancèrent nonchalamment devant elle, le dos voûté, habillés de restes de lambeaux d'uniformes. Le premier était un géant, très gros, et très lent, qui semblait avoir été fabriqué avec les morceaux d'un bœuf débité. Le second homme était plus petit, plus rapide, son nez et ses joues aplaties sur son visage étroit. Sur son cou, Jori pouvait apercevoir une cicatrice récente qui s'étirait d'un côté à l'autre de sa trachée.

« Regarde les beaux sacs que vous avez là », dit-il, sa voix grinçant comme du papier sablé. « Et mon ami et moi avons besoin de victuailles. Alors, vous allez nous les donner comme de bons enfants. »

Jori attendit que Newt fasse quelque chose, dise quelque chose, qu'il joue une des scènes qu'il avait regardées tellement de fois seul dans son appartement la nuit. Mais il demeura immobile. Elle le regarda et découvrit qu'il ne fixait pas les deux hommes — mais elle.

« Newt », dit-elle. « Qu'est-ce qu'il y a ? »

Il ne répondit pas.

« Alors qu'est-ce qu'il y a, les garçons ? »

Jori s'obligea à regarder les deux hommes et glissa sa dague de son fourreau, sa paume froide de sueur. « Allez-vous-en », dit-elle, à voix basse.

L'homme fit un petit bruit sec avec sa langue. « Vous n'êtes vraiment pas amical, mon garçon ? »

Il fit une feinte vers la droite, et Jori balança la dague pour le suivre. Au même moment, le gros homme bondit vers Newt et le jeta brutalement contre un arbre, frappant sa tête contre le tronc. Jori hurla et pivota dans sa direction. Un moment plus tard, elle sentit que son poignet était pris comme dans un étau et sa dague tomba sur le sol. L'homme mince saisit l'arme en l'attirant vers lui. Le cou de Jori claqua vers l'arrière et le capuchon se détacha de sa tête.

L'homme rit, d'un son hideux, atone.

« Bien, bien », dit-il, ses yeux se rétrécissant. « Tu n'es pas du tout un garçon, n'est-ce pas ? Tes cicatrices m'ont trompé. » Il la regarda de haut en bas, puis sourit, révélant des dents noires et cassées. « Mais ton visage n'est pas si important, n'est-ce pas ? »

Pour la première fois, Jori ressentit de la peur. Qu'arrivait-il ? Pourquoi Newt ne jouait-il pas les héros qu'il mettait en scène ? Elle regarda vers les bois, cherchant désespérément Kieran… ou l'éclair argenté qu'elle avait aperçu le jour précédent. Mais alors l'homme mince la fit pivoter, commençant à murmurer des choses odieuses dans son oreille. Son énorme compagnon, regardant de l'endroit où il tenait Newt épinglé, sourit goulûment.

Merde alors, pensa Jori. Elle hurla, frappant de toutes ses forces avec son coude dans les côtes de l'homme, et lui donnant des coups de pieds dans les genoux de toutes ses forces.

Elle entendit un claquement, et l'homme glapit de douleur, sa poigne se desserrant. Jori se dégagea de son étreinte et se précipita à quelques mètres plus loin, essayant d'attraper une branche épaisse étendue sur le sol juste devant elle. Elle se leva, la branche sur son épaule comme un bâton de baseball et elle se retourna vers l'homme mince. La fureur giclait dans ses veines, battait dans sa tête, la rendant presque sourde.

« Viens », écuma-t-elle, ses doigts creusant le bois. « Fais juste essayer. »

Son visage se tordit. « Je ferai beaucoup plus qu'essayer. »

Un rugissement furieux déchira l'air, et Jori fut aveuglée par un éclair de lumière incandescente. Un moment plus tard, elle entendit un cri étranglé et un son déchirant et l'homme mince hurla d'une douleur atroce. La lumière diminua, et Jori vit une silhouette sauvage déchaînée près de lui, les dents rouges de sang.

« Ragar ! »

La louve la regarda, les yeux brillants, les mâchoires écartées en un sourire meurtrier.

« Je vais bien », cria Jori. « Attrapez l'autre. » Elle fit un brusque mouvement vers l'avant, fouettant sa branche vers l'homme mince. Il esquiva le coup, ce qui lui fit perdre son équilibre, puis il fonça vers l'avant, sa dague levée.

Jori se redressa et pivota à nouveau, la branche frappant dans un craquement terne. L'homme trébucha vers l'arrière, sa main flottant vers son crâne. Tout près, Jori vit la louve traîner le géant au sol, ses dents plongées dans une masse sanguine de peau et de muscle déchirés. Newt demeurait effondré contre l'arbre, observant la scène.

« Newt ! », cria-t-elle. « Qu'est-ce que tu attends ? »

Il tourna sa tête et la fixa. Et soudainement, elle comprit.

Newt ne voulait pas l'aider.

Jori sentit une rage bien pire que tout ce qu'elle avait ressenti pour les deux déserteurs. Au même moment, elle vit Ragar se détourner lentement du géant pour fixer plutôt son regard sur Newt. Elle marcha vers lui d'un air digne, les dents nues, jusqu'à ce qu'il se recroqueville contre le tronc. Elle grogna, révélant ses crocs, et Jori l'entendit parler.

« De quoi avez-vous vraiment peur, mon garçon ? Et qu'essayez-vous de prouver ? »

Sa voix se fit plus basse, et Jori ne pouvait plus maintenant entendre les paroles de la louve. Mais il n'y avait aucun doute qu'elle le condamnait, et Newt se détourna, le visage cramoisi. Finalement, il fit un signe de la tête, se leva, et regarda vers les bois.

Un moment plus tard, on entendit le fracas de quelqu'un qui courait à travers les broussailles, un cri rauque, une voix criant leurs noms. Kieran jaillit dans la clairière, épousant la scène du regard. Ses yeux s'écarquillèrent quand il vit la louve presque à la gorge de Newt et il leva son épée.

Newt secoua la tête. « Non », dit-il, regardant encore Ragar, puis Jori. « Elle ne me blessera pas. »

La posture furieuse de Ragar se détendit. Elle fit un signe de tête à Newt puis bondit sur le côté et disparut dans la forêt.

Newt la fixa un moment, puis se tourna vers le gros homme, qui s'était remis à grand-peine sur ses pieds, et Jori observa la scène, étonnée. Newt cria comme un fou et bondit vers le géant, l'épée très haute au-dessus de son épaule. Le géant recula en tanguant, tâtonnant pour trouver une petite hache qui pendait à sa ceinture. Au moment où il l'atteignait, Newt le frappa d'un grand coup à l'avant-bras. Il y eut un hurlement atroce, et la hache tomba sur le sol.

Les yeux du gros homme étaient fous de douleur. Il se pencha vers l'avant, ramassa une énorme pierre dans sa main de la taille d'une cuisse de jambon, et vociféra aveuglément vers Newt, prêt à lui broyer la tête. Mais Newt se tint ferme, levant son épée au dernier moment. Le géant rentra dans son épée.

Les yeux de porc de l'homme saillirent, et son bras tomba sur le côté. Newt tint l'épée bien droite, l'enfonçant profondément dans le corps du géant. Le sang bouillonna autour des extrémités de la lame. Un moment plus tard, le géant s'affaissa sur ses genoux et tomba sur le côté, mort. Newt se tint debout au-dessus de lui, les yeux brillants.

Secouée, Jori se retourna et vit Kieran debout, sa propre épée pointée vers le cœur de l'homme mince qui gisait au sol sur le dos.

« Lève-toi », dit Kieran. « À moins que tu ne préfères ne jamais plus te relever. »

L'homme mince grogna en se remettant sur ses pieds, son cuir chevelu affreusement coupé.

« C'est bien », dit Kieran. « Tu peux marcher. » Il s'avança avec son épée. « Maintenant va-t-en. Sors d'ici. »

L'homme fixa le corps du géant, puis se dirigea en chancelant en direction des arbres. Kieran se retourna vers Jori, les yeux malades d'inquiétude.

« Vous allez bien, Jori ? Ils ne vous ont pas fait du mal, n'est-ce pas ? »

« Je vais bien. »

Il soupira longuement, puis toucha doucement son visage. « Grâce à Dieu. »

Le contact de ce toucher l'étonna. Mais Kieran s'était déjà retourné et il regardait Newt.

« Nous ne devrions même pas essayer d'aller plus loin aujourd'hui », dit-il. « J'ai découvert une clairière pas loin d'ici. Nous pouvons y arrêter et camper pour la nuit. »

Newt hocha la tête, sans dire un mot.

« Je veux d'abord simplement m'assurer que notre ami est parti », dit Kieran. Il marcha dans la direction où était disparu l'homme mince.

Ce qui laissa Jori seule avec Newt.

« Tu m'as presque fait assassiner », dit-elle.

« De quoi parles-tu ? »

« Ces deux cinglés ne se sont montrés que lorsque nous avons commencé à parler de la tapisserie. Tu voulais te débarrasser de moi. »

Newt ne répondit pas.

« Tu crois vraiment que je suis une si grande menace pour toi ? Que tu ne peux survivre ailleurs qu'à cet endroit ? »

« Ferme-la », dit-il, la mâchoire serrée de fureur. « Pourquoi même te trouves-tu ici ? Tout allait bien avant que tu n'apparaisses. Toi et cette maudite louve. » Il s'éloigna pour se diriger vers les ombres.

Jori le regarda partir, déconcertée. Puis, elle donna un coup sur une bûche tombée, jurant contre Newt et contre elle-même. Pourquoi *était*-elle ici ? Elle aurait dû demeurer avec Angel, elle aurait dû se rendre directement pour chercher Lisa.

« Et vous ne vous le seriez jamais pardonné. »

À une courte distance de là, les arbres frissonnèrent. Ragar réapparut, un fantôme dans l'obscurité.

« Mais à quoi ça sert ? », demanda Jori. « Il ne veut pas partir. »

« Il le doit. Plus il reste dans ce monde, plus il sera difficile pour lui d'y renoncer. »

« Donc, qu'est-ce que je fais ? » Elle se rappela son plan antérieur. Quand elle était au campement. « Peut-être que si je parle à Kieran. »

« Il fait partie de tout ceci. Méfiez-vous de lui, jeune fille. »

« De Kieran ? Mais... » Ragar grogna et Jori fut étonnée de voir la louve fixer un point derrière elle, les poils hérissés. L'estomac de Jori se souleva. Le charognard était-il revenu ? Elle se retourna lentement. À son grand soulagement, elle ne vit que Kieran, déjà revenu de sa brève mission de reconnaissance.

« Bien, je ne crois pas que notre ami ait l'intention de revenir. » Il s'arrêta, son expression s'assombrissant. Jori jeta à nouveau un regard vers l'endroit où se trouvait la louve, mais elle était disparue.

« Où est Nathaniel ? » demanda Kieran, regardant autour avec colère. « Est-ce qu'il vous a simplement *laissée ?* Après tout ce qui est arrivé ? »

« Non ! » Jori réfléchit rapidement. « Il avait juste à... Bien, vous savez... Il a dit qu'il nous rattraperait. »

L'expression de Kieran se détendit, et il sourit. « Ah. Bon, c'est une bonne chose à entendre. Pour ainsi dire, en fait... si parler de quelqu'un qui se vide les tripes, comme de quelque chose de bon à entendre. » Il lui sourit. « Venez avec moi, alors. Nous commencerons nous-mêmes le feu. »

Ils marchèrent l'un à côté de l'autre le long de la rive, ramassant du bois d'allumage pendant qu'ils marchaient. Ils parlaient peu, mais Jori se sentait confortable dans le silence. Elle se sentait aussi en sécurité. Ils atteignirent bientôt la clairière. Kieran balaya les feuilles tombées et les herbes sur une large portion de terrain, puis s'accroupit et commença à disposer des morceaux de brindilles et de mousse. Au moyen d'un morceau de pierre à feu, il produisit une étincelle dans la mousse et souffla avec régularité, essayant de transformer le minuscule vacillement en une flamme.

« Ouache », murmura-t-il. « Je savais que j'aurais dû apporter un feu de camp ! »

Jori sourit. Étrange. De plusieurs façons, il ressemblait à Newt et agissait comme lui, jusqu'à son bizarre sens de l'humour et ses histoires sans queue ni tête. Mais il était doté de toute la force et de toute la confiance dont manquait Newt. Était-ce son rôle en ce monde ? De procurer à Newt ce que lui-même ne posséderait jamais ?

« Nathaniel prend certainement son temps », dit Kieran, interrompant ses réflexions. « J'espère qu'il n'a pas été blessé à un endroit délicat. »

Jori rit et Kieran sourit. Bientôt, un bon feu flambait devant eux, et ils s'assirent devant, l'un près de l'autre, contemplant avec bonheur le crépitement des flammes. Jori jeta un regard vers Kieran et le surprit à la regarder, le visage concentré, ses cheveux d'un rouge doré à la lueur du feu. Il baissa les yeux et il sembla soudainement très intéressé à une brindille qu'il pliait dans ses mains.

« Jori », dit-il finalement. « Je me demandais. Est-ce que vous… aimez mon frère ? »

Elle n'était pas certaine de savoir comment répondre. « Il est très bien, je suppose. »

« Ah », dit Kieran, se concentrant toujours sur sa brindille. « Parce que je l'ai vu vous regarder avant, d'une manière un peu étrange. Et je me demandais si vous... »

Jori rit presque. « Non. Rien de la sorte. À part ça, s'il me regarde d'un air étrange, c'est probablement que je *suis* étrange. »

« Oui, c'est vrai. »

« Merci beaucoup ! »

Kieran finit par lever les yeux. « Non, ça n'est pas ce que je veux dire... C'est simplement que vous partez toute seule pour retrouver votre sœur, vous tenez tête à deux hommes adultes avec rien d'autre qu'une branche dans vos mains... » Son sourire de travers revint. « Vous ne ressemblez à aucune fille que j'ai connue. »

« J'ai entendu ça souvent ! »

« C'est une bonne chose, Jori. » Il se pencha vers l'avant, ses yeux dans les siens. Puis, avec hésitation, il l'embrassa.

Elle ressentit d'abord un choc, puis un éclair de bonheur pur. Ensuite une peine étrange et merveilleuse, comme si le baiser avait cautérisé ses cicatrices — elle venait juste de se rendre compte que des cicatrices s'étaient formées au-dedans d'elle. À sa surprise, elle commença à pleurer, se cramponnant serrée à Kieran. Il la tint tendrement, lui murmurant des paroles qu'elle avait désespérément besoin d'entendre.

Un craquement lourd les fit sursauter tous les deux.

« Qu'est-ce qui se passe ? »

Newt les fixait, étonné, une pile de bûches à ses pieds.

« Rien ! », dit Jori, essuyant ses yeux. « Il ne se passe rien. »

« Pas maintenant, de toute façon », dit Kieran. Et Jori découvrit qu'elle souhaitait violemment que Newt disparaisse.

Mais Newt demeura au même endroit, les poings serrés.

« Donc peut-être que vous voudriez être seuls tous les deux ? Peut-être devrais-je simplement me diriger vers le camp ? »

« Ne dis pas de bêtises, Nathaniel », dit Kieran en riant. Il serra la main de Jori puis se leva et marcha vers son frère. « Il n'est rien arrivé. À part ça, nous avons encore du travail à faire pour William. »

Les yeux de Newt se rétrécirent. « Je ne suis pas au courant. Avons-nous du travail, Jori ? Avons-nous du travail à faire ? »

Jori regarda Newt,puis Kieran et revint à Newt, et pendant un instant leurs images se confondirent. « Oui. Nous avons des choses à faire. C'est juste que les choses sont un peu différentes maintenant. Mais New… Nathaniel, cela ne veut pas dire que Kieran ne peut continuer à nous aider. »

« Oh, tu aimerais ça, n'est-ce pas ? »

La tête de Jori s'éclaircit et elle expulsa sa respiration exaspérée. « Oh, ferme-la. C'est *ton*… » Elle se retint. « … frère ! »

Les sourcils de Kieran se soulevèrent. « Est-ce que j'ai manqué quelque chose ici ? »

« Non », dit Newt, regardant toujours Jori. « Tu n'as rien manqué. Juste une petite conversation que Jori et moi avons eue plus tôt. »

« Écoutez Kieran », dit Jori, cherchant un fil logique qui pouvait les faire sortir de cet étrange imbroglio d'événements. « Je suis inquiète pour ma sœur. Je sais que vous deux devez suivre vos ordres, mais j'ai besoin d'aller plus vite. » Elle regarda Newt d'un air rempli de sous-entendus. « Avec ou sans vous. »

Jori observa le visage de Newt qui passait à travers une douzaine d'expressions différentes. Finalement, il lui lança un regard meurtrier, puis se tourna vers Kieran.

« Tu peux continuer à faire le scout, Kieran. J'irai avec elle et j'essaierai de l'aider à trouver sa sœur. En ensuite… je reviendrai. »

Kieran fit un signe de la tête. « D'accord, Nathaniel. C'est certainement la meilleure chose à faire. » Newt croisa les bras et fixa Jori d'un air de défi, qui sentit un soudain pincement de perte. Puis Kieran parla de nouveau.

« Juste avant que nous partions, pourtant, William m'a dit qu'étant l'aîné, je dois m'assurer qu'il n'arrive de mal à aucun de vous. » Il fit un clin d'œil à Jori. « Donc, je suppose que je devrai y aller aussi. »

Jori se retourna pour cacher le sourire qui menaçait de fendre son visage. Pourtant Newt semblait dérouté. « Mais je n'ai pas besoin… je veux dire, je pensais… »

Kieran l'ignora. « Donc dites-moi, Jori. Où allons-nous ? »

Jori prit une respiration profonde de soulagement. « Suivons la rivière. J'ai l'impression que cela nous mènera où nous devons aller. »

DOUZE
LA TRAVERSÉE

Le matin suivant, les trois se dirigèrent à nouveau le long de la rivière, dans la direction de la mer du Nord. Newt marchait légèrement en avant, les épaules courbées, silencieux comme une mule. Jori alla se placer près de lui.

« Tu vas bien ? »

« En quoi ça t'intéresse ? »

« Regarde. Je suis désolée de m'être emportée hier. Je sais que tu te serais arrangé pour que les choses n'aillent pas trop loin. Tu voulais simplement m'empêcher de… »

« Tais-toi ! » Il lui jeta un regard agressif. « Tu veux bien te taire ! Je n'ai pas besoin que tu me psychanalyses. »

L'humeur de Jori s'échauffa et elle se laissa distancer pour marcher près de Kieran. Il sourit, fit un signe de tête vers Newt. « Ne vous en faites pas. Il va s'en sortir. »

« Qui s'inquiète ? » Elle commença une conversation animée avec Kieran, riant de ses plaisanteries, le complimentant sur le combat de la veille. À chaque phrase, les épaules de Newt s'affaissaient de plus en plus.

Bien, pensa-t-elle.

Bientôt, pourtant, elle finit par écouter de moins en moins Kieran, consciente que la région qu'ils traversaient se transformait à nouveau. Les interminables collines et le sol rocailleux étaient devenus une plaine terne et plate, comme on aurait pu en trouver un peu partout.

La rivière aussi avait changé, ses eaux jadis vivantes étaient devenues maintenant noires et sentant légèrement le soufre. Peu importe le temps qu'ils consacraient au voyage, rien ne leur indiquait qu'ils s'approchaient de la mer. Aucune odeur de sel de mer, aucun indice d'une brise fraîche.

« Rien de tout cela ne semble familier », dit Kieran, fronçant les sourcils. « Et pourtant, il est impossible que ce ne soit pas le bon chemin. »

Jori ne répondit pas.

Après qu'ils eurent voyagé pendant un bon deux heures, des nuages gris fer engorgèrent le ciel, les éclairs illuminant leurs entrailles. La rivière elle-même se fit plus violente, se fracassant contre les rochers dentelés qui perçaient la surface. Venant du nord, une seconde rivière vrombissait vers la première, les deux se percutant pour former un serpent noir hurlant.

Jori jeta un regard vers Newt. Le visage pâle, il était en train de fixer les eaux bouillonnantes. Il sait que c'est la fin de son paysage de rêve, pensa-t-elle, et elle ressentit une pointe de pitié. Puis, elle fut distraite par une lumière crue. Elle regarda la rivière qui coulait vers le sud en direction de la terre derrière elle. Là, où les nuages noirs commençaient à se disperser, un soleil violent tombait sur une interminable étendue de roc et de sable rouge sang.

Elle pouvait aussi observer quelque chose d'autre – une lumière bizarre à l'horizon, brillant derrière la silhouette sombre d'une dune. Plissant les yeux, elle ne put que distinguer des tours ivoire au sommet d'un banc de murs massifs blancs. Non, pensa-t-elle, souhaitant n'avoir pas regardé. C'est suffisant que je me sois arrêtée pour Newt. Personne ne s'attendrait à ce que je pourchasse quelqu'un d'autre, particulièrement pas ces deux-là.

« Qu'est-ce que tu regardes ? », demanda Kieran, marchant près d'elle. Elle pointa vers la rivière.

Dérouté, le visage du garçon s'assombrit. « Je n'ai jamais rien vu de tel avant. Jamais. »

« Je sais. » Jori fixa un peu plus longtemps, essayant de se convaincre que ce qui se passait de l'autre côté ne la regardait pas. Mais alors, elle entendit la voix de Ragar de la nuit précédente… *et vous ne vous le seriez jamais pardonné.* Elle secoua la tête et abandonna la lutte. Même Marisa et Derek ne méritaient pas de pourrir à l'intérieur d'une toile d'araignée.

« Nous devons y aller, Kieran. Derrière cette colline. »

Kieran la regarda curieusement. « Et pourquoi pensez-vous cela ? »

« C'est ce que je pense. Vous devez me faire confiance. »

Il sourit, tendant le bras pour toucher le côté de son visage. Il ne semble jamais remarquer les cicatrices, pensa-t-elle, avec émerveillement. « Je vous fais confiance, Jori. Et bien plus encore. »

La sensation plaisir-douleur la parcourut à nouveau. Mal à l'aise, elle jeta un regard vers Newt. Il les surveillait, impassible.

« Kieran, laissez-moi parler à Nathaniel une minute, d'accord. »

Il scruta l'autre garçon. « Vous êtes plus brave que moi. Mais allez-y. » Jori marcha vers Newt, qui regardait au loin comme elle approchait.

« Allez, Newt, arrête ça. Je dois te parler. »

« Personne ne t'arrête. »

« Mais j'ai besoin aussi que tu écoutes. C'est à propos de Derek et Marisa. Ils sont là, près de la rivière.

Pendant un moment, Newt ne répondit pas. « Comment le sais-tu ? »

« Parce que je les ai vus dans la salle de tapisserie, dans la maison du vieil homme. »

« Alors, tu les as vus. Ce qui ne veut pas dire qu'ils se trouvent près de la rivière. Ils pourraient être n'importe où. »

« Non. La pierre rouge, ces tours — elles étaient tissées dans la tapisserie, Newt. »

Il demeura silencieux. Mais son expression lui confirma qu'il était au courant.

Kieran les rejoignit, les fixant à tour de rôle, le front plissé. « Est-ce que tu vas bien, Nathaniel ? », demanda-t-il, touchant son épaule.

Newt se libéra de sa main. « Je l'ignore. » Il marcha vers le bord de la rivière, se tint là silencieusement pendant quelques minutes.

« Bien », dit-il finalement, « allons-nous traverser cette chose ou non ? »

Jori et Kieran suivirent, fixant la rivière noire bouillonnante. La rivière n'était pas tellement large — pas plus de vingt mètres environ — mais elle était aussi froide qu'un glacier, avec un courant qui paraissait assez puissant pour pilonner un arbre et le transformer en bois d'allumage. Nulle part, il n'y avait de pont, même pas une bûche tombée.

« Donc, que devrions-nous faire ? », demanda-t-elle à Kieran. « Comment pouvons-nous la traverser ? »

« Bien, nous pouvons nous diriger un peu en aval, pour voir s'il y a un endroit plus étroit pour traverser. Mais nous ne pouvons en être sûrs. »

« Peut-être que j'ai une idée », dit Newt. Jori se retourna, surprise. Newt regardait fixement plus loin en aval sur l'autre rive, à l'endroit où un large arbre mort avait été partiellement déraciné et reposait plus bas sur l'eau. « Kieran. Passe-moi ta corde. »

Jori leva les sourcils devant l'ordre brusque de Newt. Mais Kieran fit simplement un signe de tête et tira un long rouleau de son sac. Newt le prit et se déplaça juste quelques mètres en amont de l'arbre mort, où un morceau de bois en forme d'araignée gisait sur le sol.

Libérant une extrémité de la corde, Newt la replia autour du bois en faisant plusieurs noeuds. Puis il se tint debout et laissa aller quelques mètres encore. L'agrippant fermement de sa main droite, il souleva la masse de bois et commença à la faire tourner en cercle autour de sa tête.

« Ah », dit Kieran. « J'ai un frère très intelligent. »

« Que voulez-vous dire ? »

« S'il peut ancrer cette corde sur cet arbre, nous pouvons tous nous en servir pour nous aider à traverser. » Kieran semblait à la fois fier et un peu jaloux d'une certaine manière. « Je ne sais pas si j'y aurais pensé. »

Newt continua à faire tourner la corde, la libérant peu à peu, et bientôt l'ancre de bois tournoya au moins cinq mètres au-dessus de sa tête. Il la laissa aller en grognant, et la corde vogua dans les airs, faisant un arc entre l'eau et l'arbre de l'autre côté. Jori retint son souffle. Mais la corde gicla dans la rivière à plus de trois mètres de son objectif.

Le courant s'empara immédiatement du bois et le fouetta en aval. La corde était maintenant noire enveloppée de boue et de mauvaises herbes provenant du lit de la rivière, mais il en arracha la plus grande partie et ignora le poids qui s'y était ajouté. Agrippant la ligne dans sa main, il commença de nouveau à la balancer au-dessus de sa tête. Une minute plus tard, il la lâcha, mais cette fois-ci le morceau de bois tomba encore plus loin de l'objectif qu'avant.

« C'est une sacrée bonne idée, Nathaniel », dit Kieran. « Mais pourquoi ne me laisses-tu pas le lancer ? Mes bras sont un peu plus musclés que les tiens. »

« Non », dit Newt. « Je le ferai. » Il tira à nouveau sur la corde, la retirant de la boue de la rivière, et il recommença à la balancer. Il la renvoya — avec le même résultat. Obstinément, il répéta le processus deux ou trois fois. Mais à chaque tentative, le poids de bois tombait plus loin de l'arbre et ses mains devenaient rouges de sang.

« Écoute, New... thaniel », dit Jori. « Tu te blesses et les rochers déchirent la corde. Laisse Kieran essayer. »

Épuisé et frustré, Newt lança la lourde corde. « Certainement. Vas-y, Kieran. Montre-nous ce que tu sais faire. »

Jori s'avança vers lui, mais Newt lui fit signe de s'éloigner. Kieran ramassa la corde du sol. Comme l'avait fait Newt, il fit tournoyer le lourd bloc de bois en un grand arc au-dessus de sa tête. Mais cette fois-ci le cercle était plus large et la vitesse beaucoup plus grande. Il visa soigneusement l'arbre mort, compta à voix basse, et libéra la corde.

Le morceau de bois vola directement dans les branches de l'arbre et tomba habilement entre deux branches épaisses. Kieran agrippa la corde, la tira en posant une main par-dessus l'autre jusqu'à ce qu'elle soit tendue, puis tira de toutes ses forces. Sur la rive opposée, le bois s'ancra lui-même fermement avec un *toc* de satisfaction.

« Bien sûr », murmura Newt.

« Maintenant, Nathaniel », dit Kieran mâchouillant un sourire, « ça ne sert à rien de ressasser cela. T'as aucun problème que beaucoup de viande rouge ne pourra guérir. » Newt lui lança un regard furieux et Kieran tenta de s'amender. « Donc, que penses-tu de l'usage que nous avons fait de ta géniale invention ? Qui traversera le premier ? »

Newt et Jori jetèrent un regard sur la rivière glacée. Jori vit les yeux de Newt se rétrécir, et il regarda Kieran d'un air soupçonneux.

« Pourquoi pas toi ? », demanda-t-il.

« Parce que, mon frère, cette rivière paraît affamée. Quelqu'un doit demeurer de ce côté pour retenir l'extrémité de la corde. »

Newt hocha la tête à contrecoeur.

« D'accord. Alors, j'irai le premier, et je pourrai aider Jori à traverser de l'autre côté. »

Jori se hérissa au mot *aider*. Mais alors elle aperçut l'expression de son visage, et elle demeura silencieuse.

Comme en prévision de ce qui suivrait, la rivière semblait grimper plus haut sur les rives. Les vagues s'effondraient contre la rive, puis se retiraient en reculant. Pendant que Jori observait, Newt défit sa ceinture et la rattacha autour de la corde, se confectionnant une sorte de harnais.

Elle sentit une soudaine bouffée de peur. Elle courut vers Newt et tint fermement son bras.

« Fais attention, d'accord ? Si tu te noies, je serai vraiment emmerdée. » Pour la première fois, ce jour-là, Newt sourit.

Finalement, les dents serrées, il se glissa dans les eaux noires, haletant sous le choc alors que le froid le traversait. Kieran se pencha vers l'arrière en gardant la corde tendue et Newt l'attrapa. Avec acharnement, il commença à avancer, chaque centimètre était une véritable torture. Jori respirait à peine.

Puis tout alla horriblement mal.

La rivière commença à hurler, bouillonnant autour de Newt et devenant de plus en plus houleuse à chaque mètre qu'il gagnait. Des vagues furieuses le martelèrent, le faisant culbuter et ne lui permettant nullement de respirer, mais il continua à avancer. Puis, hurlant de fureur, la rivière bondit au-dessus de sa tête et l'avala.

Jori tomba à quatre pattes sur la rive.

« Tirez, Kieran ! », hurla-t-elle, et Kieran tira de toutes ses forces en se penchant en arrière jusqu'à ce que ses veines eurent l'air d'éclater dans ses bras. Pendant quelques secondes qui parurent une éternité, Jori ne put rien voir d'autre que le sang noir tourbillonnant de la rivière. Finalement, une main sortit de l'eau, s'agrippant à la corde. Newt refit surface, s'étouffant et haletant, et Jori s'effondra, soulagée.

Pendant un moment, il se cramponna à la corde, luttant pour ramener de l'air dans ses poumons. Puis, il resserra sa poigne et recommença à essayer d'atteindre la berge plus loin.

Il progressait affreusement lentement. Une branche épaisse tourbillonna sur lui, lui donnant un tel coup sur les côtes que la douleur le fit se plier en deux. Mais il se redressa lentement, posa son avant-bras sur ses côtes meurtries pour les protéger, et continua sa lutte jusqu'à ce qu'il ait dépassé la moitié de la rivière.

Puis il s'arrêta.

Jori attendit tendue, craignant que la douleur l'ait finalement accablé. Mais un moment plus tard, il changea de direction et commença à se diriger vers eux. La rivière redevint immédiatement moins féroce, coulant à quelques centimètres des rives.

Il a décidé de ne pas partir, pensa-t-elle, désespérée. Elle vit soudainement sa forme sans vie courbée sur le plancher du vieil homme, et elle poussa des cris par-dessus le murmure de la rivière.

« Newt ! Que fais-tu ? Continue ! S'il te plaît ! »

Il l'ignora, continuant à nager vers eux pendant qu'il crachait des gorgées d'eau noire. Finalement, il se traîna lui-même sur la rive et s'effondra, la poitrine se soulevant et s'abaissant, comme il s'étouffait d'énormes bouffées d'air.

« Newt », murmura-t-elle, s'agenouillant à côté de lui. « Pourquoi es-tu revenu ? Tu aurais pu le réussir si tu l'avais voulu. »

« Je sais », dit-il, à peine capable de parler. « Mais tu en aurais été incapable. »

« Quoi ? »

« La rivière t'aurait tuée. Je suis revenu pour t'aider à traverser. »

La gorge de Jori se serra. « Tu es un idiot », murmura-t-elle.

« Je sais. » Il sourit. Tout près, Kieran était debout à les observer.

Après que Newt se fut reposé pendant un moment, ils se préparèrent pour risquer de traverser encore une fois la rivière. Newt confectionna un autre harnais de corde pour elle, puis se glissa encore une fois dans le sien. Kieran attrapa le bout de la corde, et Jori et Newt se glissèrent dans la rivière.

Le froid faisait haleter Jori, ses jambes et ses hanches devenant comme des blocs de glace. Elle tordit rapidement le haut de son corps vers la corde de manière à ce qu'elle puisse la tenir entre ses deux mains. Newt se positionna lui-même juste derrière elle, étirant ses longs bras autour d'elle et plaçant ses mains sur la corde tout près des siennes.

« Êtes-vous prêt ? », demanda Kieran.

Newt resserra sa poigne. « Aussi prêts que nous ne le serons jamais. »

« D'accord alors. Bonne chance. »

Péniblement, ils avancèrent plus profondément dans la rivière. Le cœur de Jori s'arrêta presque de battre à cause du froid qui serrait sa poitrine, et elle était si fortement secouée par le froid, qu'elle crut que ses dents allaient se briser.

« Ne t'inquiète pas », dit Newt sur un ton grave. « Ça devient… pire. »

Il avait raison. Avant qu'ils n'aient franchi quelques mètres de plus, la rivière explosa de colère. Des vagues plongèrent sur eux, les cognant sur le roc et se déversant dans leurs bouches lorsqu'ils criaient de douleur. Bientôt, terrorisée, Jori lutta pour retrouver son souffle. À un moment donné, elle sentit quelque chose qui fonçait sur eux par derrière, et Newt grogna, son propre corps absorbant le pire du choc.

Les mains de Jori étaient maintenant bleues, son visage engourdi. Plus d'une fois, elle glissa et la rivière hurla de triomphe. Mais chaque fois Newt la tirait vers le haut, la tenant serrée jusqu'à ce qu'elle retrouve son équilibre.

Comme ils avaient franchi plus de la moitié du trajet, la rivière devint plus furieuse encore. Un grognement déchirant monta en spirale de ses profondeurs, tourbillonnant autour comme une entité vivante. Une seconde voix se joignit à la première et puis une autre et encore une autre, jusqu'à ce que Jori et Newt soient entourés d'un chœur de hurlements.

« Continue », hurla Newt. « Nous y sommes presque. »

Jori secoua l'eau de ses yeux et vit les branches de l'arbre mort tentant de l'atteindre de ses doigts squelettiques. Newt bondit sur les branches, attrapant les plus rapprochées. Puis, il serra le poignet de Jori jusqu'à ce qu'elle soit en mesure d'en atteindre une, elle aussi.

Ils se hissèrent le long de l'arbre sur le rivage, où ils tombèrent dans la boue et se bouchèrent les oreilles de leurs mains pour bloquer les hurlements. La rivière se jeta elle-même sur les rives comme un chien enragé, tentant furieusement de les attirer de nouveau. Mais finalement, les hurlements cessèrent. La rivière, défaite, siffla avec colère, et s'éloigna.

Jori était étendue, pelotonnée contre Newt sur la rive, attrapant l'air dans ses poumons qui brûlaient, attendant que le sang cesse de battre avec un bruit de tonnerre dans ses veines. Finalement, Newt lutta pour s'asseoir et l'aida à monter près de lui. Elle s'étendit vers l'avant sur les genoux, encore haletante.

« Maintenant nous devons aider Kieran à traverser », dit-elle.

Newt ne répondit pas.

« Sauf que j'ignore comment il sera capable de lutter seul contre ce courant », continua-t-elle inquiète. « Il tenait la corde pour nous. Mais personne ne sera là pour l'aider. »

Newt finit par parler, semblant distant. « Peut-être trouvera-t-il quelque chose pour y attacher l'extrémité de la corde. » Puis il sourit, et ses yeux croisèrent ceux de Jori. « Il doit être assez intelligent pour imaginer quelque chose. Après tout, c'est *mon* frère. »

Ils regardèrent vers la rive opposée, où Kieran se tenait debout à les observer. La rivière était encore trop bruyante pour eux pour qu'ils puissent facilement communiquer, mais Jori se tint debout et lui lança un signe d'urgence avec ses bras, lui signalant de traverser. Mais pour une raison ou pour une autre, Kieran ne répondit pas. Ses yeux étaient fixés sur Newt, et Newt, croisant son regard, se remit lentement sur ses pieds. Pendant un long moment, les deux se tinrent tranquillement, ne faisant que se regarder.

Soudain, Kieran sourit et leur fit signe de la main. Puis il laissa aller la corde. Le courant tourbillonnant l'arracha et l'aspira profondément sous la surface.

Jori figea à mi-chemin d'un signe de la main.

« Kieran ! », cria-t-elle. « Que faites-vous ? »

Kieran posa ses mains en porte-voix autour de sa bouche et cria : « Je dois retourner pour retrouver William. Et je crois que vous deux, vous n'avez plus vraiment besoin de moi. »

Jori ouvrit la bouche, mais aucune parole ne sortit. De l'autre côté de la rivière, Kieran leva la main pour leur faire ses adieux, et ses yeux se perdirent un moment dans les siens. Elle pouvait distinguer un sourire en coin, et quelque chose se déchira en elle.

« Dieu vous garde », cria-t-il.
Puis il se retourna et s'éloigna à grands pas.

TREIZE
LA REINE DU NIL

Jori et Newt se tinrent silencieusement sur la rive, regardant la silhouette de Kieran qui rapetissait de plus en plus au loin. Jori avala si difficilement sa salive qu'elle eut l'impression que sa gorge allait peut-être craquer.

Elle sentit la main de Newt sur son bras. « Ça va ? »

Elle ne répondit pas tout de suite. Puis, elle secoua la tête d'un air malheureux.

« Non. Ça ne va pas. Je… pensais qu'il m'aimait bien. »

Newt leva la main vers le visage de Jori, puis la retira. « Mais… en effet il t'aime beaucoup. Crois-moi. Il t'aime beaucoup. »

« Alors, pourquoi est-il parti ? Pourquoi n'est-il pas venu avec nous ? »

Newt s'éloigna à une courte distance, évitant de croiser le regard de Jori. « Peut-être que je ne voulais pas vraiment qu'il reste avec nous. »

« Tu n'as pas... Pourquoi pas ? »

« C'est la faute de ta louve. » Newt se tourna pour lui faire face. « Dans la vallée, quand nous avons été attaqués, j'ai cru qu'elle allait m'arracher la gorge. Au lieu de cela, elle s'est mise à parler. Je pouvais entendre sa voix dans ma tête.

« Qu'a-t-elle dit ? »

« Plusieurs choses. » Il fit la grimace. « Plus que je voulais en entendre. Au sujet de cet endroit, mais surtout à propos de moi. Elle a dit que je ne prouvais rien à personne, même pas à moi-même. Et quand elle est partie, j'ai cru que ce n'était peut-être pas bon pour moi d'être ici. » Il jeta un coup d'œil à Jori. « Et pour toi, non plus. »

« De quoi parles-tu ? »

« Avant que nous n'ayons atteint la rivière, j'ai décidé que j'essaierais de poursuivre mon chemin avec toi. Sans Kieran. Je lui ai dit qu'il pouvait retourner au camp. Tu te souviens ? »

Jori hocha lentement la tête.

« Mais il n'est pas retourné, Jori. Et ce n'était plus moi qui le gardais avec nous. »

Jori regarda à nouveau la rivière. « Mais s'il ne nous avait pas accompagnés, nous n'aurions pas pu traverser. Nous avions besoin de lui. »

Newt secoua fermement la tête. « Non. J'aurais trouvé autre chose. » Il fit une pause, ses mots semblant l'avoir surpris lui-même.

Jori s'assit près de la rive.

« C'est seulement..., dit-elle finalement, c'est que personne n'a jamais voulu de moi avant. En tout cas, pas comme je suis maintenant. »

« C'est ce que tu crois ? », dit Newt, une expression bizarre sur son visage. « Absolument personne ? »

« Personne », dit Jori. Ses yeux se remplirent à nouveau de larmes.

Newt soupira, s'assit près d'elle et entoura ses épaules de son bras. « Ne t'inquiète pas », dit-il, la serrant légèrement contre lui. « Quelqu'un d'autre t'aimera comme tu es. Je le promets. »

Ils restèrent assis en silence pendant un long moment, Newt ne pressant pas Jori de lui parler, ou même de continuer leur voyage. Mais il finit par parler.

« Tu avais raison, tu sais. »

« À propos de quoi ? »

« À propos de la présence de Derek et Marisa à cet endroit. Derek est revenu ce jour-là — le jour où tu as fui la maison en courant. Il avait emmené Marisa, et elle avait l'air de vouloir le tuer, lui criant après pour l'avoir entraîné dans une vieille maison bizarre dans une ruelle. Alors, le professeur DePris a pris le contrôle de la situation. Il l'a regardée fixement comme si elle était une reine. Il lui a dit à quel point elle était magnifique, intelligente, ravissante. Et en peu de temps, elle s'est mise à tout lui raconter. »

« Que veux-tu dire par tout ? »

« Tous ses rêves. De tout posséder, d'être admirée. Peut-être, devenir un jour une femme riche et puissante que les gens admireraient. Le professeur DePris ne faisait que hocher la tête, la regardant comme si elle était la personne la plus étonnante qu'il ait jamais rencontrée. »

« Lorsqu'elle a eu terminé, il a pris sa main, et lui a dit à quel point elle méritait toutes ces choses, et que c'était vraiment terrible que rien ne puisse lui garantir qu'elle les obtienne un jour, ni qu'elles durent, même si elle les obtenait. Après cela, elle n'a rien dit d'autre. Quelques minutes plus tard, nous étions tous en haut dans la salle de tapisserie, et j'ai vu Derek envelopper Marisa dans son rêve. »

« *Son* rêve ? »

« Ouais. Comme tu l'as dit, tout ce qu'il fait, c'est pour Marisa. Après cela, ce que j'ai su, c'est qu'ils étaient partis et que moi j'étais ici. Et je ne me suis plus vraiment préoccupé d'eux. » Jori vit les épaules de Newt s'affaisser.

« C'est bon, Newt », dit Jori, oubliant sa propre tristesse pendant un moment. « Comment pouvais-tu savoir ce qui se passait vraiment ? »

« Toi, tu le savais », dit-il tranquillement. « Et je crois que je le savais aussi. Mais je le voulais de toute façon. Une partie de moi le veut encore. » Il sourit d'un air contrit, puis tapota ses genoux et se leva. « Allons. Il est peut-être temps d'arrêter de nous apitoyer tous les deux, et de poursuivre notre chemin. Qu'en penses-tu ? »

Avec difficulté, Jori chassa toutes les pensées qui lui restaient à propos de Kieran. « Je dis que tu as raison. Plus de complaisance. »

Ils commencèrent à marcher, laissant derrière eux la rivière noire affamée. En quelques minutes, le soleil du désert brûla les nuages d'un ciel incandescent. Les poumons de Jori brûlaient à chaque respiration et des plaques de poussière lui mordaient la peau comme un essaim de moucherons.

Elle leva les mains pour empêcher le sable de l'atteindre. Quelque chose clapota sur ses joues, et elle posa ses doigts sur son visage. Un chiffon desserrés masquait tout, sauf ses yeux.

Elle regarda Newt. Il portait une robe longue et légère qui atteignait presque ses chevilles. Des bottes de cuir dur protégeaient ses pieds, et des longueurs de tissu coloré étaient enroulées autour de sa tête, couvrant aussi sa bouche et son nez. De la façon dont il la fixait, Jori ne pouvait que supposer qu'elle portait des vêtements assez semblables.

« Bien », dit-elle à travers le tissu. « J'imagine que nos autres vêtements commençaient à être un peu usés. »

« Oh, je ne sais pas », dit Newt, affectant une apparence de déplaisir pendant qu'il tirait sur sa robe. « D'une certaine façon, j'aimais bien la tunique. Elle laissait paraître mes jambes. »

Jori rit pour la première fois ce jour-là. Après tout ce qu'il avait traversé, Newt était toujours Newt. Ce qui la rassurait, malgré le roc rouge embrasé autour d'eux. Peut-être que les choses reviendraient vraiment à la normale. Finalement.

Une colonne de vent chaud tourbillonna autour d'eux, aspirant leurs vêtements. Ils commencèrent à se démener pour atteindre la colline qu'ils avaient vue à partir de la rivière, la tête baissée, le foulard serré autour de leur bouche. Juste devant eux, une vipère cornue avançait en courbes gracieuses en forme de *s* le long de la surface chaude.

Jori aurait voulu être capable de se déplacer aussi facilement que le serpent. Mais ses bottes s'enfonçaient plutôt dans le sable brûlant chaque fois qu'elle se penchait vers l'avant pour faire un autre pas. Bientôt, la fatigue provoqua des élancements dans chaque muscle de ses tibias et de ses cuisses.

Après ce qui lui sembla des heures, ils atteignirent la base d'une énorme dune. Newt, qui se trouvait à environ quinze pas devant elle, avança péniblement de quelques mètres sur le flanc. Il s'arrêta et regarda derrière lui, essoufflé.

« Ce ne sera pas facile », cria-t-il. « C'est comme essayer de grimper une montagne avec des roulements à billes. »

Jori commença aussi à monter, son corps tellement incliné vers l'avant qu'elle se servait de ses mains autant que de ses pieds pour gravir péniblement la colline. Chaque fois qu'elle mettait le pied par terre, elle glissait vers l'arrière ne gagnant que quelques centimètres à chaque enjambée. Elle aurait voulu crier de douleur.

Newt réussit à atteindre l'endroit hors du sable d'où surgissaient des lames plates de pierre rouge. Il se hissait de pierres en arêtes, cherchant à trouver les chemins les plus faciles et les plus sûrs. Jori le suivait à peu de distance. Finalement, Newt s'approcha du sommet, où la pente abrupte finissait par se niveler. Non loin de là, le roc commençait de nouveau à s'incliner, comme s'il menait à une sorte de vallée.

« Attends ici une seconde. Laisse-moi d'abord jeter un coup d'oeil. » Il marcha prudemment vers un rebord étroit qui émergeait brusquement au bord du sommet, s'efforçant de voir ce qu'il y avait dans la vallée plus bas. Il s'arrêta, et ouvrit légèrement la bouche. Puis il fit signe à Jori de venir près de lui.

Elle grimpa sur le rebord et suivit le regard de Newt.

Au-dessous d'eux, le désert aride avait abandonné sa prise. À sa place, il y avait un large delta de rivière, une étendue miraculeuse de riche sol noir et des champs dorés remplis de blé et de maïs. Pas très loin, Jori pouvait apercevoir un port affairé avec des douzaines de bateaux revenant au port ou retournant vers la mer, et des marchands qui sortaient des zones de chargement avec des mules lourdement chargées.

Entre les champs et le port, une ville animée avait émergé. Jori pouvait voir des centaines d'immeubles — magasins, écuries, maisons et bistrots — et des vendeurs qui marchandaient avec leurs clients dans une interminable place du marché. Son regard scruta lentement les dédales de rues, recueillant chaque détail.

Une large voie navigable bordait l'extrémité éloignée de la ville, s'ouvrant sur un vaste lac qui se jetait dans le port. Au centre du lac, il y avait une île, dont les bords montaient en pente douce jusqu'à un immense plateau. Près du sommet, huit immeubles blancs luisaient dans la lumière d'un soleil de fin d'après-midi.

Beaucoup plus large que les autres, une des structures brillait comme une couronne, au point le plus élevé de l'île. Elle paraissait être fabriquée de calcaire et de marbre, supportée par des colonnes gravées de manière complexe et surmontée de tours élaborées, de corniches et de statues. Ornant ses parcs, il y avait des étangs aménagés, des alcôves cachées et des jardins luxuriants avec des vignes grimpantes, remplis de fleurs rouges et mauves. Toute la scène possédait la richesse d'une peinture à l'huile.

On dirait un palais, pensa Jori, puis elle se rendit compte que c'en était probablement un. Encerclant l'île, il y avait un mur assurant une grande protection, entrecoupé seulement par quelques portes gardées qui s'ouvraient vers la rivière. À l'extérieur de l'entrée la plus rapprochée d'eux, Jori pouvait apercevoir une magnifique péniche de rivière. Elle arborait des voiles mauves et un dais doré, et des avirons argentés qui étincelaient dans le soleil de fin d'après-midi. Quelque chose s'alluma dans la mémoire de Jori.

« Alexandrie. »

« Quoi ? »

« C'est Alexandrie. » Elle regarda fixement la scène devant elle. « Nous avons vu un film à ce sujet dans le cours d'histoire universelle. C'était la seule fois où je n'ai pas vu Marisa écrire des messages textes tout au long de la classe. »

« Et c'était parce que… ? »

« Parce que c'était la demeure du dernier pharaon d'Égypte. La reine du Nil. »

Newt avait l'air déconcerté.

« Cléopâtre. » Jori retrouva d'autres faits enfouis au fond de sa mémoire. « Elle est devenue reine d'Égypte à seulement dix-sept ans. Mais ce n'était pas suffisant pour elle. Elle continua à vouloir de plus en plus de pouvoir, et soit qu'elle séduisait les hommes qui pouvaient lui donner ce qu'elle voulait, ou qu'elle tuait ceux qui se trouvaient sur son chemin. Même l'un de ses frères. »

« Je peux comprendre pourquoi Marisa l'aimait. »

« Ouais. Bon, son palais était situé à Alexandrie, près du delta du Nil. Et elle sillonnait la rivière dans une péniche semblable à celle-ci, rien que pour que tout le monde la regarde. » Elle jeta un coup d'œil sur le bateau, et sur les énormes immeubles blancs. « Je me souviens que Marisa disait qu'elle aimerait reculer dans le temps et vivre la vie de Cléopâtre. »

« Et Derek l'a entendue. »

« Bien, il était toujours assis près d'elle. » Elle fit une pause. « Il se préoccupait donc vraiment beaucoup d'elle. Assez pour bâtir tout son rêve autour du sien. » Elle secoua la tête avec stupéfaction. « Je suppose qu'on ne sait jamais ce qui se passe à l'intérieur de la tête d'un gars. »

« Non », dit Newt, sa voix un peu bizarre. « On dirait que non. »

Jori saisit le ton de la voix. Mais avant qu'elle ne puisse lui demander ce qu'il voulait dire, il se leva et regarda le long du paysage. « Alors que faire maintenant ? Aller frapper à la porte du palais et leur dire que c'est le temps de rentrer à la maison ? Franchement, je ne crois pas qu'ils seront très réceptifs. »

« Non, nous devons donc trouver un autre moyen pour les atteindre. »

« Ce qui veut dire… ? »

« De la flatterie. Avec Marisa, la flatterie te conduira où tu veux. », réfléchit Jori. « Ça, et des bijoux. Allons donc courir les magasins. »

***

Ils commencèrent à avancer prudemment sur les pentes rocailleuses, puis continuèrent à travers les champs dorés vers la ville portuaire. En une heure, ils avaient atteint le centre animé de la place du marché. Des boutiques et des kiosques s'entassaient dans chaque centimètre d'espace, leurs propriétaires négociant dans une demi-douzaine de langages différents, avec des marchands qui affluaient des bateaux à proximité.

Jori et Newt marchèrent lentement à travers les rues, étourdis par l'odeur épaisse et salée de la mer et les arômes de centaines d'épices étranges. Des trésors inimaginables scintillaient sur les dos de mules et débordaient des kiosques des différents marchands. Jori s'arrêta devant un vendeur, clouée sur place à la vue de colliers de perles noires, répandus sur son comptoir comme des filaments d'algues marines étincelantes. Le vendeur la vit qui regardait fixement. Il souleva les perles de ses mains, les lui offrant.

« Vous les aimez, jeune dame ? » Elle fit signe que oui, hypnotisée. Le marchand déplaça son regard vers Newt. « Alors vous devez les lui acheter, Monsieur. »

Newt rit. « Certainement. Aussitôt que je saurai où j'ai laissé ma fortune. »

Il donna une petite tape sur sa cuisse où, habituellement, il aurait dû y avoir une poche, mais, il s'arrêta, surpris. Jori baissa les yeux et vit dans la main de Newt un petit sac attaché autour de sa taille, un petit sac qui semblait rempli de pièces de monnaie. Newt en secoua quelques-unes dans la paume de sa main et les regarda curieusement. Puis il eut un petit grognement incrédule.

« Jette un coup d'œil là-dessus ! »

Jori regarda au-dessus de l'épaule de Newt. L'image d'une jeune femme était gravée sur la pièce d'argent. Elle portait des bijoux élaborés et une coiffure richement ornée, comme celles qu'avait remarquées Jori parmi les objets exposés au Musée d'histoire naturelle. Le visage était superbe, le port royal. Mais la jeune femme affichait une expression arrogante, avec un léger sourire, quelque peu méprisant, sur ses lèvres.

« Marisa », dit Jori.

« Sans blague. »

Provenant de la direction du palais sur l'île, une fanfare de trompettes résonna au loin.

« Qu'est-ce que c'est ? », demanda Jori, pressant l'une des pièces dans la main du marchand. L'homme se courba légèrement, puis leva la tête.

« La reine prend la mer ce matin. Elle, et son cortège. »

Jori regarda fixement Newt et ils se mirent à courir.

Ils atteignirent le bord de la rivière en quelques minutes, la sueur faisant briller leurs visages rougis. Devant eux s'élevait l'énorme mur entourant l'île de Cléopâtre ; le sommet hérissé de pointes acérées, l'immensité de la surface, brisée d'une seule barrière, étroitement surveillée.

« D'accord », dit Newt. « Donc, maintenant tout ce que nous avons à faire, c'est de traverser la rivière, de nous battre avec les gardes, de trouver un moyen d'entrer dans le palais, d'obtenir un rendez-vous avec Mari-patra, et puis de la convaincre, elle et Derek, d'abandonner une vie de richesse et de pouvoir. »

Jori hocha la tête. « Exactement. »

Newt ouvrit la bouche, mais les trompettes résonnèrent à nouveau, juste à l'intérieur des murs de l'île. La barrière s'ouvrit, et les panneaux pivotèrent vers l'intérieur, alors qu'un quatuor d'esclaves mâles traversa l'entrée, transportant une litière sur laquelle était allongée une mince jeune fille.

« Ou il se pourrait que Marisa vienne tout simplement vers nous », murmura Newt.

Les esclaves montèrent sur la barge, suivis de quatre jeunes femmes, et déposèrent soigneusement la litière sur une plateforme surélevée. Ils allumèrent deux pots de feu à chaque extrémité de la barge, puis se positionnèrent à la proue et à la poupe, où ils se tinrent debout comme des statues. Pendant ce temps, les quatre servantes s'agenouillèrent, une près de la tête de Marisa, une à ses pieds, et une de chaque côté. Elles commencèrent à la nourrir de fruits, à l'éventer, à rafraîchir sa peau avec des morceaux de tissu humides.

« Y'a pas tellement de différence avec l'école », commenta Jori. « Mais je me demande où… »

Avant qu'elle ne puisse terminer sa phrase, un jeune homme passa la barrière avec la démarche arrogante de celui qui est né pour commander. Il portait l'armure d'un soldat, mais paraissait plus romain qu'égyptien. Des bandes d'or incrusté brillaient sur chacun de ses poignets, accentuant ses bras minces et musclés. Il monta à bord du bateau et Marisa-Cléopâtre leva un bras languissant pour lui faire signe d'approcher. Il s'approcha rapidement vers la litière, juste au moment où la barge quittait le rivage.

Newt plissa les yeux en regardant, pendant que le bateau dérivait vers eux. « Donc, qui Derek est-il censé être ? César ? Ou une sorte de clone de Marc-Antoine ? »

Jori examinait aussi le jeune homme, qui se tenait maintenant près de Marisa et lui caressait les cheveux. Elle sursauta ; « Ce n'est pas Derek. »

« Qu'est-ce que tu veux dire ? »

« Juste ce que je viens de dire. Ce n'est pas Derek. C'est quelqu'un d'autre qu'elle a fait apparaître. »

Newt se pencha vers l'avant. « Merde. Tu as raison. Alors qu'est-il arrivé à Derek ? »

Jori n'eut pas le temps de répondre.

Le sol sous eux commença à trembler, des fragments de pierres rouges dégringolant frénétiquement sous leurs pieds. Un profond grondement parvint du sud, quelque part plus loin le long du Nil, et Jori releva brusquement le menton pour regarder.

Des nuages bouillonnaient dans un ciel noir comme un chaudron, leurs ombres sombres avalant la lumière. La couleur s'écoula des jardins, les murs de granite blanc passèrent au gris, et l'air devint sec et vicié. Jori sentit que sa peau se refroidissait.

« Newt », murmura-t-elle. « Nous devons partir d'ici. »

Ils sortirent en trombe à travers les rues qui se tordaient, vers les montagnes rouges qui encerclaient la ville. Des frissons de peur lui couvrant les épaules ; Jori n'osait pas regarder en arrière.

Autour d'eux, la ville chancela dans l'immobilité. Les marchands empressés s'interrompirent au milieu des cris, entourés de leurs clients paralysés. Les rues commencèrent à se rider, et les immeubles perdirent leur forme et leur texture. Jori et Newt coururent à toute allure parmi les images changeantes et vers les pentes des montagnes environnantes. Finalement, alors qu'ils approchaient du sommet, ils se tournèrent et, horrifiés, ils regardèrent fixement la ville mourante et ses voiles hideux de nuages.

Puis, la rivière noire grogna, sortant de l'obscurité.

Horrifiée, Jori la vit onduler à travers le delta comme un serpent monstrueux, avalant les eaux du Nil à mesure qu'elle avançait, se soulevant et s'abaissant dans le riche sol des berges et rampant vers la cité. À cet endroit, elle se divisa en plus petits courants, et tourbillonna à travers les rues, envoyant de minces tentacules dans chaque maison, chaque boutique, chaque coin sombre. Cherchant sa proie.

Elle atteignit bientôt la place du marché. S'efforçant de regarder l'horrible scène, Jori vit une vrille d'épais liquide se hisser du courant pour sembler chercher une odeur dans l'air. Elle hésita, puis se déversa sur un groupe de marchands qui se tenaient immobiles à l'extérieur de l'une des échoppes. Elle prit brièvement la forme des hommes, puis les silhouettes disparurent sous elle.

Maintenant la rivière atteignait l'extrémité opposée de la ville et se déversait dans le lac, transformant les eaux lisses comme un miroir en une substance boueuse. Un instant plus tard, elle s'orienta vers l'île elle-même et Jori l'observa, incrédule, alors qu'elle commençait à monter bizarrement les flancs en pente, attirée vers le palais de l'île. Bientôt, les magnifiques étangs disparurent, les jardins brillants furent détruits. La rivière entra dans le palais. Un instant plus tard, un liquide rouge sang s'échappa de chaque fenêtre.

Jori se retourna, dégoûtée.

« Qu'est-ce qui vient d'arriver ? », murmura Newt.

« Je l'ignore. Je ne suis pas certaine. Mais peut-être... peut-être que la rivière reprend les rêves, une fois qu'ils ont commencé à se désagréger. C'est arrivé aussi au paysage de rêve de Lisa. »

« Mais le rêve de Marisa était encore beau. On aurait dit qu'elle avait tout ce qu'elle voulait. »

« Ce n'était pas son rêve à elle. »

Elle risqua un autre regard vers l'île. Les eaux s'éloignaient déjà, la rivière noire inversant son flot vers l'extérieur de la ville, retournant d'où elle était issue.

« Viens », dit Jori. Ils descendirent la colline en trébuchant, à travers les rues de la ville silencieuse, vers le rivage du lac mort. L'eau était noire et stagnante, émettant une odeur fétide comme si elle avait contenu mille cadavres. Les poissons flottaient sur la surface, leurs yeux voilés et fixes. Sur la rive opposée, la péniche reposait, fracassée, ses avirons argentés fendus en éclats comme les pattes brisées d'un insecte.

« Elle l'a eue », dit Newt d'un ton morne. « Nous sommes arrivés trop tard. »

« Peut-être pas », dit Jori, en tremblant. « Elle est peut-être encore vivante. Derek aussi, puisque nous ne l'avons même pas vu ici. Mais s'ils le sont, ils finiront peut-être par souhaiter être morts. » En hésitant, elle essaya de lui expliquer le centre sombre de la tapisserie, et Maligor.

« C'est l'endroit où sont emmenés les rêveurs quand les rêves ne leur suffisent plus. Ou lorsqu'ils sont demeurés trop longtemps, et que les rêves commencent à se transformer en quelque chose d'autre. » Elle fit une pause, permettant finalement à son esprit de rassembler ce qu'elle n'avait pas voulu comprendre. « Et si la partie magnifique de la tapisserie a été filée avec des rêves, alors Maligor doit être l'opposé. Une sorte de cauchemar interminable dont il est impossible de se réveiller. »

Newt hocha lentement la tête. « Je me souviens d'avoir vu la tache. Mais tout ce qui me préoccupait alors, c'était de retourner dans la tapisserie. » Jori vit que son expression passait de la compréhension à un choc horrifié. « Donc si tu n'étais pas venue me chercher… »

Il la regarda fixement. « Alors comment est-ce que je lui dis le reste ? », pensa-t-elle. Elle poussa un profond soupir.

« Newt. C'est là que je dois aller maintenant. »

« Pourquoi ? Pour aller chercher Derek et Marisa ? Oublie ça. Tu as essayé »

« Non. Je dois y aller parce que c'est à cet endroit que se trouve Lisa. »

Pendant une minute, Newt demeura silencieux. Jori vit une douzaine d'émotions se disputer dans son visage. Mais alors, il se redressa, se tenant bien droit, soulevant légèrement son menton. « Bien », dit-il. « Je peux aussi bien venir avec toi. J'en aurai pour mon argent dans ce parc d'amusement. »

Jori ferma les yeux de soulagement. Lorsqu'elle les ouvrit, Newt sourit et hocha la tête. Mais le grondement furieux de la rivière noire se faisait entendre au loin, retenant à nouveau leur attention.

« Mais comment pouvons-nous atteindre le centre ? », dit Jori. « Nous n'y arriverons jamais à pied. Et nous ne pouvons voyager sur la rivière. »

Une voix glaciale vint de derrière eux. « Ce n'est pas tout à fait vrai. »

Jori pivota. À quelques mètres d'eux, immobile comme une pierre, se tenait un homme d'apparence cadavérique vêtu d'une longue robe foncée. Il s'appuyait sur une longue perche de bois et leur souriait, de ses dents vertes et cassées. Des pommettes saillantes tendaient la peau grise de son visage, et son crâne chauve était tissé de veines bleues en forme de toiles d'araignée.

« Vous n'avez rien à craindre », dit l'homme au teint grisâtre, sa voix semblable au murmure de feuilles mortes. « Je suis ici pour vous aider. »

« D'accord », dit Jori nerveusement. « Comme un serpent aide une souris. »

« Jeune fille intelligente. » Ses yeux chassieux l'examinaient, voletant sur son visage comme des cafards. Lui rappelant quelque chose, ou quelqu'un. « Mais votre intelligence ne devrait pas vous empêcher de m'écouter. »

« Pourquoi ? »

« Parce que je suis votre seul moyen d'atteindre Maligor. » Il s'inclina, puis agita une main vers la rivière. Flottant sur l'eau sombre, il y avait un long bateau plat, une sorte de traversier. Il était doté de deux sièges, un à l'avant et l'autre à l'arrière, de même qu'un endroit réservé au pilote.

« Je peux vous escorter sur la rivière », dit le Batelier, hochant la tête. « Aussi rapidement ou aussi lentement que vous souhaitez le faire. »

« Je suppose que vous le pouvez », dit Newt. « Et qu'est-ce qui vous empêchera de nous jeter par-dessus bord ? »

« Pourquoi ferais-je cela ? C'est un grand honneur pour moi d'emmener vers Maligor toute personne qui veut s'y rendre. Toute personne que la rivière n'a pas besoin de persuader. »

Newt regarda Jori « Il a raison », dit-il à contrecœur. « Maligor veut que nous nous y rendions. Pourquoi ne pas nous faciliter les choses quand c'est possible ? »

Jori fit un signe de tête, admettant à contrecoeur la logique du raisonnement.

« Excellent », ronronna le Batelier. « Je peux vous assurer que mes services seront d'une excellente qualité. »

« C'est fantastique », dit Jori, baissant les yeux vers la rivière. « Voyage en première classe... directement vers nos cauchemars. »

QUATORZE
MALIGOR

Jori et Newt s'assirent, le dos raide, dans le traversier de l'homme au teint grisâtre, observant les courants qui tourbillonnaient autour d'eux comme du sang répandu. À la surprise de Jori, la rivière demeurait plutôt calme. Mais dans le ciel, des nuages noirs bouillonnaient, reflétant l'âme sinistre de la rivière.

Ils finirent par atteindre la principale voie navigable et à l'aide d'une perche, le Batelier les fit habilement avancer à travers les courants. Comme ils traversaient l'endroit où se croisaient les deux embranchements, le paysage de chaque côté, se transforma de façon spectaculaire. À leur gauche, on apercevait une ville lunaire tentaculaire, avec des immeubles en forme de bulles dont les silhouettes se dressaient contre un ciel orange foncé. À leur droite, il y avait une forêt tropicale humide et dense, resplendissante d'orchidées géantes, de fougères aux feuilles coriaces massives et d'arbres qui grimpaient à plus d'une centaine de mètres dans les airs. L'énorme squelette d'un dinosaure reposait une moitié sous l'eau, une moitié hors de l'eau.

La perche du Batelier s'élevait et redescendait, et le traversier glissait lentement sur la rivière. Des heures, des jours même auraient pu s'écouler. Hypnotisée par les paysages de rêves qui ne cessaient de se transformer, Jori eut l'impression de devenir aussi immobile que la ville morte qu'ils venaient de quitter. Une île flottante, soutenue par des colonnes de brume. Un champ de poussière rouge, criblé de cratères. Une lagune turquoise scintillante, avec des sables blancs où étaient éparpillés des coquillages. Mais chacun de ces paysages, aussi inanimé qu'une toile de fond peinte.

« Je ne comprends pas », dit-elle à Newt, alors qu'une forteresse de cristal et de glace se matérialisait devant eux. « Une partie de la tapisserie remuait quand nous l'avons examinée. Certains de ceux-là devraient être vivants. »

C'est le Batelier qui répondit, sa voix traînante comme un mille-pattes sur sa peau. « Après un moment », dit-il, « plus rien ne vit près de ces eaux. Alors la rivière elle-même doit chasser pour se procurer ce qu'elle veut. »

Un grondement violent fendit l'air. Jori bondit. La rivière juste devant eux venait de disparaître, avalée par un brouillard grésillant qui les frappa de toute sa chaleur.

« Qu'est-ce que c'est ? », haleta Jori. « Qu'est-ce qui arrive ? »

Des langues de flammes jaillirent de la brume, léchant la rivière à petits coups rapides essayant d'atteindre le traversier. Newt s'agrippa à la robe du Batelier. « Que faites-vous ? », cria-t-il. « Poussez le bateau vers la rive ! »

« Ce n'est pas nécessaire », sourit le Batelier.

« Pas nécessaire ? Vous allez nous tuer ! *Poussez le bateau vers la rive !* »

Le Batelier éclata de rire et poussa violemment sur sa perche.

Le brasier bondit vers eux. Newt cria, se jetant par-dessus Jori. Elle creusa de ses doigts dans sa chemise, attendant la douleur atroce des flammes sur la peau et le son de leurs propres hurlements.

Au lieu de cela, ce fut le silence qui s'installa. Sans aucune douleur.

La mort peut-elle arriver si vite ? se demanda Jori. Tremblante, elle leva la tête.

Le bateau et la rivière n'existaient plus, et Jori et Newt étaient assis sur une dalle de roc qui ressemblait à une tombe, tellement froide, qu'elle les brûlait. Leurs longues robes avaient disparu, et ils étaient à nouveau vêtus des vêtements qu'ils portaient à leur entrée dans la tapisserie.

Une brume verte et épaisse maculait l'obscurité, et l'odeur de choses mortes était en suspension dans l'air. Des arbres blancs et austères les entouraient complètement, comme des squelettes torturés, enracinés à jamais dans le sol de poussière grise. Se précipitant entre les troncs, on pouvait apercevoir des ombres à quatre pattes, leurs yeux rouges affamés dévisageant les intrus.

Un hurlement rompit le silence. Jori eut un mouvement de recul, et se rapprocha de Newt. Trois silhouettes blanches informes se dégagèrent des arbres et se dirigèrent vers eux, levant leurs horribles visages à mesure qu'elles approchaient. Leurs yeux et leurs nez étaient des cavités creuses ; leurs grandes bouches restaient ouvertes comme par la douleur.

Les spectres semblaient les supplier, tendant vers eux leurs bras presque transparents. Mais leurs voix n'étaient guère plus que des gémissements étouffés. Frustrés, ils levèrent la tête, et déchirèrent leur propre bouche. Puis, haletants et sanglotants, ils reprirent doucement le chemin des arbres et disparurent.

« Qu'est-ce que c'était ? », murmura Jori.

« Je l'ignore », dit Newt, le visage pâle. « Je ne veux pas le savoir et toi non plus. »

Non, je ne veux pas savoir, pensa Jori. Mais ils semblaient presque humains. Et si… Elle sentit soudain un poids soudain à l'estomac, elle tomba à genoux.

« Qu'est-ce qu'il y a ? », demanda Newt. « Qu'est-ce qui ne va pas ? »

« Et si ces choses étaient ce qui reste des rêveurs qui sont venus ici ? Et si l'un d'entre eux était ma sœur ? »

Newt se raidit, mais juste un moment. Il s'agenouilla près d'elle et saisit ses épaules. « Ce n'était pas Lisa », dit-il. « Tu l'aurais su. Tu l'aurais senti. »

Mais ses paroles ne l'atteignirent pas. Un gémissement s'éleva d'elle et elle s'écroula en sanglotant.

Un grondement enragé déchira l'air, et Newt bondit sur ses pieds. Ragar se tenait à quelques pieds de là. Mais la louve montrait ses dents, et ses poils étaient hérissés. Elle gronda de façon démentielle, puis elle happa l'air près du visage de Jori.

« Ne fais pas ça ! », cria Jori, émergeant de son angoisse. « Ragar, arrête ! C'est moi ! »

La louve continua de gronder, les oreilles levées, les yeux fixés sur le visage de Jori. Mais alors sa posture menaçante se détendit et ses yeux devinrent calmes. « Je sais qui vous êtes, ma fille. »

« Alors pourquoi… »

« Parce que vous vous livrez à cet endroit. Vous lui offrez exactement ce pour quoi il est affamé. »

« Je ne m'y livre pas. »

« Oui. Le désespoir est l'arme la plus puissante que vous puissiez offrir à Maligor. C'est de lui que se nourrissent les créatures d'ici. » Elle hocha la tête vers les arbres tordus, et l'une des ombres se précipita vers l'avant, les mâchoires branlantes. Un chacal.

Jori regarda fixement les yeux de l'animal affamé de rage. Accablée, elle baissa la tête. « Je suis désolée. Je ne suis juste pas assez forte pour continuer ainsi. »

« Oui, tu es assez forte », dit doucement Newt, et elle leva les yeux pour le regarder. « Tu es plus forte que toutes les personnes que j'ai connues. »

Ragar hocha la tête pour approuver. « Il a raison, ma fille. Mais vous avez vécu de grandes pertes et de grandes douleurs. On peut s'attendre à une petite lassitude. Cela ne change rien à la personne que vous êtes... à moins que vous ne le permettiez. »

Les paroles de la louve, et la confiance tranquille de Newt réconfortèrent l'âme blessée de Jori. Elle respira profondément et redressa ses épaules. Ragar gronda à nouveau et le chacal retourna doucement dans l'obscurité.

Jori regarda la louve, demandant silencieusement un conseil.

« Maintenant », dit Ragar, « continuez à l'intérieur de Maligor. Allez à la recherche de votre sœur. Et Jori — si vous cherchez assez longtemps, vous la trouverez. » La louve fit un pas en avant et frotta son museau au cou de Jori. Puis, elle se retourna et partit à grandes enjambées, disparaissant dans la brume verte.

Jori ferma les yeux, essayant de rassembler les lambeaux de sa confiance, souhaitant se sentir un peu moins seule.

Sans y réfléchir, elle murmura la première pensée qui entra dans son cerveau.

« Kieran. S'il te plaît. J'ai besoin de toi. »

Elle ouvrit les yeux, espérant. Mais elle ne vit que Newt, une expression bizarre sur son visage. Déçue et embarrassée, elle détourna les yeux.

Pendant un moment, aucun d'eux ne parla. Mais elle eut alors l'impression que Newt s'approchait d'elle.

« Tu n'as pas à souhaiter la présence de Kieran, Jori. Il est ici. »

Jori leva les yeux, ne comprenant pas. Mais Newt se pencha et prit ses mains et la hissa à côté de lui. Son visage était calme.

« Tu n'es plus jamais seule dans cette histoire », dit-il doucement. « Je peux aussi être un héros. »

Jori regarda fixement, incertaine de savoir comment réagir. Mais alors, des images de moments passés, partagés ensemble, commencèrent à lui traverser l'esprit, depuis leur passage extrêmement pénible dans la rivière, jusqu'au premier moment où Newt s'était lancé entre elle et Marisa dans le couloir de l'école. Soudain, à sa stupéfaction, elle pouvait voir Kieran dans chaque détail du visage de Newt.

« Je crois que tu l'es déjà », dit-elle.

Soulagé, Newt sourit. « Il était temps que tu t'en aperçoives ». Et ils demeurèrent debout ensemble, paisiblement, pendant un long et doux moment.

« Donc », dit finalement Newt. « Ne devrions-nous pas aller… quelque part ? »

Jori regarda autour d'elle, essayant de trouver une raison quelconque de choisir une direction plutôt qu'une autre. Puis, elle se rendit compte qu'à l'endroit où Ragar avait disparu, la brume semblait s'être volatilisée, laissant de fines vrilles qui flottaient au-dessus de ce qui semblait être un chemin raboteux. « Par là », dit Jori.

Confiants, ils s'engagèrent sur le chemin, mais bientôt celui-ci se rétrécit, se perdant sous un épais tapis de graines et de feuilles noires pourries. Jori et Newt continuèrent à avancer, choisissant le chemin qui semblait le moins obstrué par les arbres tordus et les vignes enchevêtrées. Mais ils avaient l'impression de ne faire aucun progrès, marchant pendant des heures en n'ayant aucune idée de l'endroit où ils se rendaient ni par où ils étaient passés.

Ils étaient incapables de se détendre, même pas pour un moment. S'ils s'approchaient trop de l'un des arbres tordus, d'énormes épines s'étiraient brusquement de leurs troncs aiguisés comme des lames de poignard. Tous les quelques mètres, des vignes sifflantes glissaient d'en haut, laissant tomber de l'acide goutte à goutte, et essayant de les attraper. Pires que tout, dans les profondeurs des ombres, les chacals demeuraient leurs escortes non désirées, tapis derrière les arbres, attendant qu'ils trébuchent.

Newt écrasa l'une des vrilles frétillantes. « C'est idiot », murmura-t-il. « On dirait qu'on tourne en rond. »

« Je sais. » Jori donna un coup de pied sur les têtes de petites coquilles aux becs aiguisés qui heurtaient ses chevilles, puis elle en écrasa une avec son soulier, souriant d'un air de satisfaction en l'entendant crisser. « À ce rythme, nous ne trouverons jamais personne. »

Un bruit ressemblant à un coup de pistolet fendit l'air, et le sol trembla et gronda. Jori s'agrippa au bras de Newt en se tournant vers le bruit. Au loin, à l'extrémité d'une vaste plaine, une monstrueuse masse de roc noir se soulevait en vibrant. Ses sommets dentelés tailladaient un banc de nuages bouillants, et des courants d'eau foncée rugissaient des fissures sur sa surface, se répandant sur les côtés comme d'interminables coulées de sang.

Les rivières noires, pensa-t-elle. *C'est de là qu'elles viennent.*

Une lueur rouge jaillit des sommets escarpés, et de longues ombres tendirent leurs doigts froids et noirs vers la plaine. Elles se glissèrent dans la direction où Jori et Newt se tenaient, s'agrippant aux arbres épineux et se fondant en plaques rouge foncé qui criblaient le sol de la plaine. *Qu'est-ce que c'est*, se demanda Jori, puis elle se rendit compte qu'il s'agissait de fosses ouvertes, des douzaines, haletant comme des bouches affamées. De sourds grondements et des cris formaient une spirale autour d'elle, mais elle était incapable de dire si elles provenaient de l'intérieur des trous, ou si elles étaient produites par le vent froid qui soufflait sur eux.

« On dirait que ce sont des pièges », dit Newt. « Comme ceux que les chasseurs installent pour attraper de gros animaux. »

« Ou des gens. » Jori regarda fixement les mines, une horrible certitude s'infiltrant dans son esprit. « Elle pourrait se trouver ici, Newt. »

Un long sifflement passa au-dessus d'eux.

Une silhouette d'araignée tomba des branches de l'arbre près d'eux, atterrissant en une boule serrée sur le sol. Elle déroula rapidement ses longs membres et se hissa bien droit, dominant Newt de plus de trente centimètres, oscillant d'avant en arrière sur des pattes qui ressemblaient à des perches. Des écailles noires et violettes recouvraient la plus grande partie de son corps, mais la poitrine et l'estomac étaient d'un jaune pâle comme le bas-ventre d'un lézard.

« Ah, merde », dit Newt, tirant rapidement Jori derrière lui. « J'ai choisi un moment extraordinaire pour être un héros. »

Jori l'entendit à peine, paralysée par l'apparition qui leur faisait face. La chose baissa la tête et les examina, ses yeux luisants d'une couleur orange, la bouche étirée en une grimace permanente. Newt tenta de battre en retraite, mais la chose saisit ses vêtements, en claquant ses longues serres. Newt fit un grand mouvement avec son bras, et elle rejeta sa tête en arrière en poussant un cri strident.

Trois autres des créatures tombèrent des arbres épineux, tellement près de Jori, qu'elle pouvait sentir leur haleine aigre et voir leurs dents pointues comme des aiguilles qui se dressaient de leurs gencives. Leurs yeux passèrent de Jori à Newt, puis de Newt à Jori.

« Sont-ils fffrais ? », murmura l'une des créatures, fixant Jori.

Ses compagnes reniflèrent l'air et léchèrent leurs babines.

« Assez fffrais », dit celle qui était apparue la première.

« Assez nouveau. »

« Peut-on les prrrrendre ? »

« Faccccilement. »

Il y eut un long hum excité.

Puis elles bondirent.

Jori hurla, emprisonnée dans un enchevêtrement de bras froids et de griffes acérées. Les créatures hurlèrent de triomphe en même tant qu'elles la soulevaient dans les airs et la lançaient dans l'un des hideux trous noirs.

Des racines mortes la fouettèrent en même temps qu'elle tombait, la frappant lorsqu'elle atteignit le fond. Haletante de douleur, elle lança ses bras au-dessus de sa tête, s'attendant à ce que les créatures bondissent et la réduisent en pièces.

Il ne se passa rien. Elle baissa les bras et redressa son corps meurtri. Elle essaya de trouver Newt, mais l'obscurité obstruait sa vision.

À sa droite, il y eut un grognement.

« Newt ! Ça va ? »

« Je ne suis pas certain. »

Jori se traîna vers lui, tendant les bras à l'aveuglette. Elle toucha un vêtement et découvrit Newt en train de s'efforcer de s'asseoir. « Ça va », finit-il par dire, cherchant à tâtons pour trouver sa main. « Et toi ? »

« Je crois que oui. » Elle trouva finalement le courage de lever les yeux. Au début, tout ce qu'elle pouvait voir, c'étaient des massifs emmêlés de mauvaises herbes qui se détachaient sur la brume verte illuminée. Un instant plus tard, les visages de leurs ravisseurs apparurent dans l'ouverture, leur souriant.

« Qui êtes-vous ? », murmura-t-elle. « Que voulez-vous ? »

Les créatures grincèrent des dents et replièrent leurs longues griffes. L'une d'entre elles se pencha un peu plus loin au-dessus du bord, jusque dans la fosse elle-même.

« Nous sommes les Horridins », disait-elle, sa voix résonnant comme du verre brisé. « Mais ce n'est pas important. Pas pour une humainnne. Pas pour longtemps. »

« Que ferez-vous de nous ? »

« Faire ? », siffla une autre, dénudant ses dents de piranha. « Rien, humains. Pas maintenant. Mais nous vous laisserons ici. Deux jours, trois jours. Aussi longtemps qu'il faudra pour que la peur remplisse vos veines et adoucisse vos corps. Et ensssuite — alors, nous nous nourrirons. »

Jori sentit une crampe dans son estomac, et elle gémit légèrement. Les Horridins sourirent.

« Bien », murmura l'un d'eux. « C'est déjà commencé. »

Jori entendit un cri étranglé, et les créatures levèrent les yeux, avec inquiétude. Une griffe géante fouetta l'air, frappant l'un des Horridins visible. Les autres poussèrent des cris stridents, bondissant loin de l'ouverture de la fosse. Des bruits sourds et des craquements aigus se répercutèrent jusqu'à l'endroit où Jori et Newt s'accrochaient l'un à l'autre, et les hurlements des Horridins se transformèrent en atroces cris de douleur.

Les sons cessèrent abruptement. Tout ce que Jori pouvait entendre, c'était le froissement sec de quelque chose qui filait au loin à toute allure.

« Qu'est-ce qui se passe ? », demanda Newt, tendu. Puis un nuage de poussière glissa du bord de la fosse.

Un visage apparut, crasseux, le regard égaré, et humain.

La mâchoire de Jori tomba. « Qui êtes-vous ? »

Le visage se retira.

« Attendez », cria-t-elle frénétiquement. « Revenez. Il faut que vous nous aidiez à sortir d'ici ! »

Le visage réapparut, les fixant. Puis il disparut une seconde fois.

« S'il vous plaît ! Qui que vous soyez. Vous ne pouvez nous laisser ici ! »

Pendant une minute, elle n'entendit rien. Puis, il y eut un bruit de grattement, et l'extrémité d'une longue branche apparut au-dessus du trou. Elle vacilla à travers l'ouverture, puis glissa vers le bas et heurta le fond de la fosse. Les énormes épines qui en sortaient étaient aussi effilées que des couteaux — mais les points de joint épais formaient aussi une solide échelle improvisée.

Newt fit un signe de tête vers la branche. « Vas-y. Je la stabiliserai. » Il plaça fermement ses mains autour de la base.

Jori attrapa les bouts épais de deux des épines et en se servant de son pied, en testa une située plus bas. Ça tenait. Fixant ses yeux sur le bord de la fosse, elle grimpa vers la brume verte.

Après avoir atteint le sommet, elle regarda au-dessus des bords, craignant que les Horridins soient en attente tout près. Mais tout ce qu'elle vit fut une silhouette immobile, recroquevillée sous un arbre épineux à une courte distance de là. Une main était posée sur une branche longue et épaisse — la griffe qui avait attrapé le premier Horridin.

Elle se hissa péniblement vers la sortie et fit un pas dans la direction de son sauveteur, levant la main pour le remercier. Peu importe qui était la personne qui se trouvait là, elle ne réagissait pas du tout, même si ses yeux semblaient la regarder directement dans les yeux.

Le bras de Jori retomba sur son côté. Un moment plus tard, Newt s'extirpa du trou et la rejoignit. Ils regardèrent tous les deux l'individu près de l'arbre, dont l'immobilité surnaturelle devenait effrayante.

Jori s'approcha encore plus. Finalement, elle put distinguer des cheveux foncés derrière la crasse, et une silhouette mince qui grelottait sous des bandes de cuir brun déchiré. Des yeux verts les fixaient faiblement à travers la boue.

« Derek », murmura-t-elle.

Elle courut vers lui, s'accroupit, essaya de réchauffer ses mains froides dans les siennes. Mais il ne réagissait pas. « Derek, ça va ? C'est nous. Jori et Newt. »

Newt se dépêcha de la rejoindre, paraissant troublé. « Il nous a aidés. Pourquoi Derek nous aiderait-il ? »

« Je l'ignore. Mais il l'a fait. » Elle regarda fixement les yeux vides de l'autre garçon, et sentit ses doigts effilés. « Il a l'air tellement malade », dit-elle avec inquiétude. « Newt, qu'arrivera-t-il s'il a épuisé toutes les forces qui lui restaient pour nous aider. Que lui arrivera-t-il alors ? »

La réponse hurla à partir des fosses derrière eux. Jori se retourna et vit deux Horridins qui filaient, l'un d'entre eux frottant sa main sur ses lèvres mouillées. Derrière eux, une silhouette blanche transparente, vaguement humaine, s'éleva du trou. Gémissant de chagrin, elle baissa les yeux sur la vapeur qu'était maintenant devenu son corps. Puis elle se dirigea dans les bois, en sanglotant.

Un instant plus tard, les chacals arrivèrent.

Newt pâlit. « C'est ce que nous avons vu quand nous sommes arrivés à Maligor. C'est de là qu'ils viennent. »

« Donc, si nous n'étions pas sortis… » Elle regarda en arrière vers Derek. Des yeux fous de terreur avaient remplacé son regard vide, et il tremblait.

« Derek, peux-tu m'entendre ? », demanda-t-elle, serrant encore une fois ses mains contre les siennes. « Nous devons partir d'ici. Avant qu'ils ne reviennent. »

Soudain, sa voix se cassa dans sa gorge. « Non », dit-il, secouant violemment sa tête. « *Non, non, non, non, non !* » Il arracha ses mains de la poigne de Jori et bondit sur ses pieds, s'éloignant d'elle en trébuchant. Newt bondit vers l'avant et l'attrapa par les deux mains.

« Ça va, Derek ! Ils sont partis. Ça va ! »

« Non ! », hurla Derek. « Vous ne me prendrez pas cette fois-ci ! » Il donna un coup de pied à Newt, s'efforçant de se libérer.

« Derek », cria Newt, le secouant durement. « Derek, idiot ! Arrête de me frapper ! »

La mâchoire de Jori tomba. Mais Derek figea, ses yeux fixés sur ceux de Newt. Pendant un moment, ils se tinrent tous les deux sans pouvoir bouger.

Derek avala sa salive. « Newt ? »

« Ouais. C'est Newt. »

Derek tourna son visage sale et décharné vers Jori.

« C'est nous, Derek. Vraiment nous. »

Il ne bougea pas. Mais il finit par émettre une longue respiration vibrante, et son visage parut moins paniqué. Lentement, Newt libéra ses bras, l'observant intensément au cas où il essaierait de courir à nouveau.

Derek passa une main tremblante sur ses yeux. « J'ai pensé que peut-être j'imaginais que c'était vous. Je croyais que cet endroit avait encore une fois perturbé mon cerveau. » Il fixa désespérément Jori. « Tu es sûre que tu es réelle ? »

« J'en suis certaine. Allez. Reposons-nous un instant. »

Elle conduisit doucement Derek vers l'arbre épineux sous lequel il était auparavant assis, et ils se blottirent tous les trois sur le sol glacé. Sans ciller, Derek regardait les deux autres, comme s'il craignait qu'ils ne disparaissent s'il fermait les yeux.

« Derek », dit Newt. « D'où viens-tu ? Nous ne t'avons pas vu quand nous sommes arrivés ici. »

« J'étais dans un des trous », murmura-t-il, son regard errant vers le champ aride. « Tout comme vous. »

« Et Marisa ? », demanda Newt. « Que lui est-il arrivé ? »

Derek demeura silencieux.

« Derek ? »

« Je ne l'ai pas vue. »

« Mais tu as dû la chercher quand tu es venu ici pour la première fois. »

« Non. Je ne l'ai pas cherchée. » Il ne les regardait pas. « Je veux dire, pourquoi l'aurais-je fait ? Quand nous sommes arrivés au palais, elle m'a dit que j'étais inutile, que ça la rendait malade d'être avec moi. Qu'elle ne me laisserait même pas m'approcher d'elle. »

« La Cléopâtre classique — ou Marisa », dit tranquillement Jori, la voix légèrement amère. « L'une et l'autre vous utilisent, puis vous laissent tomber lorsqu'elles n'ont plus besoin de vous. »

Derek ne semblait pas écouter. « Ça me rongeait », dit-il. « J'ai essayé de lui donner des choses, de faire des choses pour elle. Comme lorsque nous étions chez nous. Mais elle devenait de plus en plus agressive. Finalement, elle m'a jeté dans une sorte de cellule, sous le palais. J'ai entendu un garde qui disait que je serais là pour toujours — que je pourrirais là. » Il fit une pause. « C'est à ce moment-là qu'est arrivée la rivière. »

La douleur dans la voix de Derek fit mal à Jori.

« La rivière m'a jeté ici, comme une ordure. J'ai erré pendant un moment, essayant de trouver une façon de sortir. Puis j'ai lâché prise. Et avant que je sache ce qui se passait, les Horridins m'ont attrapé. »

Son visage se tordit et il commença à se balancer d'avant en arrière. Ils étaient cinq, peut-être six. Ils m'ont jeté dans le trou, puis ils ont continué à hurler, crachant sur moi. Finalement, l'un d'eux s'est penché au-dessus du bord, en bavant. Il a dit qu'ils partaient, mais qu'ils reviendraient bientôt me retrouver. Puis, ils sont disparus.

« Après cela, tout ce que je pouvais entendre, c'étaient des grognements et des cris provenant de partout. Assez rapidement, je voulais tout simplement que ça se termine. Je me suis donc assis là dans l'obscurité. Attendant qu'ils reviennent et qu'ils en finissent avec moi. »

Jori sentit un frisson qui n'avait rien à voir avec le vent. Qu'est-ce que ce devait être, pensa-t-elle, accroupi seul au fond de cette fosse, attendant pour que la mort vienne vous sourire à l'ouverture ? Elle parla avec douceur.

« Au moins, tu es sorti avant qu'ils ne reviennent. »

Le sang reflua du visage de Derek. « Non, je ne suis pas sorti. »

« Que veux-tu dire ? »

« Ils n'ont pas attendu longtemps. J'ignore si c'est quelques heures ou peut-être quelques jours, mais ils étaient de retour, rampant près de l'ouverture, vers l'endroit où je me trouvais. » Des larmes commencèrent à couler de ses yeux et il frotta avec colère ses mains contre son visage.

« Deux d'entre eux m'ont attrapé par les épaules et m'ont balancé contre le côté de la fosse. Les autres se sont accroupis de chaque côté de moi. Je sentais leurs dents sur mes bras et ensuite… ils ont bu. » Il ratissa ses ongles sur ses cheveux comme s'il voulait en chasser le souvenir.

L'horreur serrait la poitrine de Jori et Newt paraissait malade. « Mais tu es vivant », murmura-t-il.

Derek ferma les yeux. « Ils m'ont dit qu'ils ne venaient jamais une seule fois. Que plus j'aurais peur, meilleur ce serait. » Il laissa échapper un sanglot. « Et oh, merde, j'avais tellement peur. »

Newt se pencha et attrapa l'épaule de l'autre garçon.

« Ouais, mais tu ne t'es pas laissé faire. Tu es sorti. » Il fit une pause. « Qu'est-ce qui a fini par te faire essayer ? »

Derek ouvrit les yeux. « C'est à cause de vous deux. »

« Quoi ? »

« J'étais étendu au fond de la fosse, trop faible pour bouger. Après un moment, j'ai pensé que j'entendais à nouveau les Horridins et tout ce que je pouvais penser, c'était de savoir comment je pourrais me tuer avant qu'ils ne le fassent. Mais alors, j'ai entendu des voix. Les vôtres. »

Jori s'en souvenait. C'était au moment où elle et Newt avaient aperçu les fosses pour la première fois.

« Soudain, j'ai pensé que peut-être je pouvais simplement sortir… J'ai tâtonné le côté de la fosse, et il y avait une racine morte ou quelque chose qui dépassait de la terre. Je l'ai attrapée et j'ai escaladé la paroi. » Son regard se troubla. « Après avoir atteint le sommet, la première chose que j'ai vue, c'était les Horridins qui vous attaquaient. Je vous ai entendus crier. Et puis, j'ai complètement perdu la tête, je crois. »

« Nous avons eu de la chance », dit doucement Jori.

Une expression tourmentée se dessina sur le visage de Derek. « Peut-être. Mais à ce moment-là, je n'avais plus aucune certitude. J'avais imaginé tellement de choses, au fond dans l'obscurité. » Il hésita. « Et je ne croyais pas avoir la force de découvrir si vous étiez réels ou pas. »

Jori posa sa main sur son bras déchiré, taché de sang.

« Nous sommes réels, bien réels ! », dit-elle doucement. « Et nous n'irons nulle part sans toi. » Son visage se décomposa, et il se dégagea brusquement. Elle changea rapidement de ton. « C'est-à-dire, si tu peux t'arranger pour ne pas faire l'*idiot* cette fois-ci. Y a-t-il des chances ? »

Derek demeura immobile pendant quelques secondes. Mais ensuite, il fit signe que oui.

QUINZE
LA SORCIÈRE DU MARÉCAGE

Derek s'assit en silence pendant un long moment. Lentement, son expression tourmentée finit par disparaître. Mais il ne parlait toujours pas.

« Derek », dit finalement Jori. « Tu vas bien ? »

Il frissonna légèrement, comme si une main froide l'avait touché. « Je devrais maintenant être mort. »

Jori échangea un regard inquiet avec Newt. Si l'esprit de Derek continuait à lui rappeler constamment le puits, il serait aussi perdu que s'il ne s'en était pas enfui. La meilleure chose, décida-t-elle, c'était de s'organiser pour que Derek s'occupe d'autre chose, quelque chose qui n'aurait rien à voir avec la vue des fosses béantes.

« Écoutez », dit-elle. « Je crois qu'il est temps que nous partions. J'ignore où se trouve Lisa, mais je ne la trouverai pas en restant assise ici. »

Derek tressaillit, croisant ses bras blessés sur sa poitrine. « Non, je veux juste sortir de... » Il arrêta, sa voix à peine audible ; « Ta sœur est ici ? »

Elle fit signe que oui. « J'ai trouvé ses affaires dans la maison du vieil homme. »

Derek avala sa salive, puis regarda fixement la plaine désolée. Finalement, il marmonna quelque chose et se remit sur ses pieds. « D'accord », murmura-t-il. « Allons la trouver. »

Qu'est-ce qu'on en sait, pensa Jori. Pas d'écume de marécage, du tout.

Ils se déplacèrent prudemment à travers le paysage mugissant. Les yeux de Derek étaient fixés vers le sol, mais Jori et Newt cherchaient dans chaque piège dangereux devant lesquels ils passaient, espérant de découvrir quelqu'un d'autre encore vivant.

Mais tout ce qu'ils virent, ce furent des rappels macabres de ce qu'avaient contenu jadis les trous. Des vêtements déchirés au fond de l'un d'entre eux. Une partie d'un squelette dans un autre, avec une main essayant d'atteindre le haut de la fosse. Ils finirent par s'arrêter, incapables de continuer de regarder — cela ressemblait trop à tenter de discerner quelque chose dans des tombes ouvertes.

De nouveau, la montagne frissonna. Sans dire un mot, les trois se retournèrent et commencèrent à s'y diriger directement. Ils marchèrent pendant des heures, l'éternelle pénombre de Maligor leur glaçant les os. Jori ne cessait de frissonner, torturée par la vision de ce qui peut-être était en train d'arriver à Lisa. Petit à petit, elle trouva refuge dans une partie de son cerveau où elle était incapable de voir ce qui l'entourait, où elle ne pouvait sentir, où elle ne pouvait penser. Elle y demeura un long moment.

Des éclairs abrupts de lumière la sortirent de sa transe. Elle cligna des yeux, puis vit une douzaine de veines brillantes et colorées tranchant le sol dans toutes les directions. Elle les regarda fixement, elle se disait qu'il était impossible qu'elle les ait vues avant, mais tout de même, elle était certaine que oui.

Elle se cloua sur place.

« Newt ! Derek ! Je sais comment trouver Lisa ! » Ils pivotèrent vers elle. Elle pointa vers l'un des fils saphir foncé et marqua sa trace à l'endroit où il convergeait avec un autre, puis un autre. Ils menaient tous dans la même direction — vers la montagne sanglante.

« Ce sont les fils de la tapisserie. Et Lisa se trouve à l'autre extrémité de l'un d'entre eux. »

« Tu es sûre ? », demanda Newt.

« Assez certaine. Parce que tu avais raison, Newt. Je ne crois pas qu'elle est m… » Elle jeta un regard vers Derek. « Je ne crois pas qu'elle se trouve près d'ici. Une partie de son paysage de rêve vivait encore, et ce n'était pas la rivière qui l'en avait fait sortir. Elle est partie de son propre chef. »

Newt jeta un regard sur l'énorme montagne. « Bon », dit-il, prenant une profonde respiration. « Je suppose que nous savions tous qu'il faudrait nous occuper de cette chose tôt ou tard. »

Jori se sentit un peu coupable.

« Newt. Derek. Vous n'avez pas à me suivre. C'est ma sœur, pas la vôtre. Pourquoi n'iriez-vous pas tous les deux… »

« Oublie ça, dit Newt. Nous n'allons pas cesser d'essayer de nous protéger l'un l'autre à partir de maintenant. »

Elle sourit avec gratitude, puis vit que Derek les observait, ses yeux reflétant des émotions encore à vif.

« Et toi ? », demanda-t-elle. « Est-ce que tu crois que tu peux continuer ? »

« Ai-je le choix ? » Il se força de sourire. « Ça va aller. Comme a dit Newt, je suppose que nous prenons soin l'un de l'autre, maintenant, je veux dire, je sais que c'est à toi qu'il parlait, mais… »

« Tais-toi, crétin », dit Newt. Il décrocha un léger coup de poing vers l'épaule de Derek. « C'est pour nous tous. »

Derek fit signe que oui. « Bien, alors ça va. »

***

Maintenant, ils se déplaçaient rapidement à travers le paysage aride. Jori était maintenant plus remplie d'espoir que jamais auparavant depuis qu'elle était entrée dans la tapisserie. Au moins maintenant, elle savait comment agir, et où se rendre. Et elle croyait ce qu'elle avait dit à Newt. Lisa était encore vivante. Tout ce qu'ils devaient faire, c'était de la retrouver.

Sur le chemin, Newt tenta de remonter le moral de Derek en lui servant un monologue sans queue ni tête sur toutes sortes de choses sans trop d'importance. Les périls de la nourriture de cafétéria. Le danger inhérent de l'exercice régulier. Et, le plus tragique ; le fait indiscutable que les filles à l'école ne ressemblent jamais à celles que l'on voit à la télévision.

« Ouais », dit finalement Derek. « Pour quelle raison. Elles doivent venir de quelque part. »

« En effet », dit Newt. « D'un autre système solaire. De temps en temps, un vaisseau spatial débarque quelque part sur terre et en dépose un lot. La plupart d'entre elles en Californie. »

« Je suppose que c'est possible. — Bien sûr. Il n'y a aucune autre explication possible. »

Jori s'en mêla. « Mais pourquoi les envoie-t-on ici ? Pourquoi ne pas les garder… n'importe où ? »

Newt réfléchit. « Je soupçonne que c'est pour nous ébranler, pour nous attendrir en vue d'une invasion imminente. Je veux dire, pensez à tous les rois et tous les présidents qui ont été victimes de ces créatures. »

Derek hocha la tête. « C'est aussi une bonne explication dans le cas de Marisa. »

Newt et Jori rirent et Derek sourit. Qu'est-ce qu'on en sait, pensa Jori. Il s'en remettra. Fougueusement, elle jeta ses bras autour de lui et lui donna un baiser sur la joue. Il la regarda, étonné.

« Holà. Qu'est-ce que c'est ça ? »

Elle haussa les épaules en riant. « Je ne sais pas trop. Il y a à peu près une semaine, je n'aurais fait ça que dans un cauchemar minable et tordu. »

Derek sourit, mais regarda ensuite le paysage impressionnant des alentours. « Donc je suppose que les choses n'ont vraiment pas tellement changé. »

Soudain, Jori se rendit compte qu'elle n'avait plus froid. L'air ambiant s'était réchauffé, il était plus humide, et la plaine stérile avait disparu. À la place, il y avait des acres de marécages détrempés et des champs de tiges rigides couvertes de ronces aiguës. Ils étaient à nouveau sous le couvert des arbres, mais c'était des arbres géants avec des troncs épais à multiples colonnes, avec de longues branches qui tombaient vers le sol. D'épaisses cordes de sève suintaient continuellement de chaque feuille, comme si les arbres étaient en train de fondre.

Le fragile optimisme de Jori s'évanouit. Sans dire un mot, elle et les garçons se serrèrent.

Maintenant, la boue devenait un étang stagnant, grêlé d'algues. Sur la surface de l'eau, des globules huileux se formaient comme des bulles, puis éclataient, crachant une épaisse odeur sulfureuse. De minuscules points noirs bourdonnèrent dans les oreilles de Jori et lui mordirent la peau, laissant des filets de sang mêlés à la sueur. Et de l'obscurité vint le murmure angoissant de choses invisibles qui rampaient tout près.

Une passerelle branlante surgit de la boue, et ils y grimpèrent. Jori regardait fixement droit devant elle, ayant soin de se maintenir en équilibre. Mais du coin de l'oeil, elle pouvait voir la peau brillante d'une grosse créature ondulant juste sous la surface, près de la passerelle.

« Nous devons partir d'ici, murmura Newt derrière elle. Des problèmes nous attendent. »

« Il a raison », dit Derek. « Nous devrions… »

Sa voix se fit brusquement silencieuse, aussi soudainement que si on lui avait tranché la gorge. Se retournant, Jori le vit regarder en bas, le visage blême. Elle suivit son regard. Accroché à la cheville de Derek, il y avait une longue main verte.

Le marécage autour d'eux commença à bouillonner et à fumer. Des crânes qui ressemblaient à des dômes sortaient lentement de la boue, et bientôt une douzaine de visages grotesques les regardaient, leurs yeux juste au niveau de la surface. D'autres mains sortirent brusquement de l'eau, essayant maintenant de s'emparer de Jori et de Newt.

« Allez-vous-en », dit brusquement Jori, écrasant une paire de griffes crochues sous son talon.

La chose hurla, se tordant de douleur. Elle émergea légèrement de l'eau, et Jori put apercevoir une sorcière à peau verte avec une énorme bouche sans lèvres. Des fils d'algues marines pendaient de sa tête, en guise de cheveux et deux morceaux de peau gonflaient et se dégonflaient au centre de son visage comme des ouïes.

La sorcière cracha vers Jori et nagea sous la surface. Les autres suivirent immédiatement, et Derek fut arraché de la passerelle. Le marécage se referma sur lui et Jori put voir ses yeux terrifiés la regarder fixement à travers l'eau. La sorcière qui le tenait s'élança à toute vitesse, passant comme une flèche devant eux.

« Allez, vite ! », hurla Jori. Elle et Newt filèrent le long de la passerelle, suivant la montée et la descente des corps trempés des sorcières. À l'occasion, Jori pouvait aussi voir Derek, qui se débattait dans l'eau et cherchait à aspirer de l'air.

Ils atteignirent finalement le banc boueux de ce qui semblait être une île s'élevant du milieu du marécage. Jori regardait alors qu'on tirait Derek de l'eau et qu'on l'emmenait sur l'île vers une autre sorcière qui était assise sur une énorme pile de terre et de vignes mouillées. La créature qui le tenait marcha en le traînant jusqu'en haut, puis le lança violemment aux pieds de l'autre.

La chose sur la pile de boue se pencha, le regard vif et intéressé. Son cou et ses membres étaient minces comme des rameaux, et ses côtes se soulevaient sous la peau marbrée de son torse. Ses longs cheveux noirs, sur lesquels s'étaient formées des croûtes de boue séchée, étaient attachés par des écailles de coquille et d'os. Elle renifla le cou de Derek, puis bondit vers l'arrière en grimaçant.

« Comment oses-tu ! », siffla-t-elle. « Comment oses-tu montrer ton visage après m'avoir désertée ! »

Jori entendit la voix horrifiée de Derek.

« Marisa ? »

Les yeux de Jori dardèrent le visage de la créature. C'était Marisa — ou une caricature hideuse de ce qu'avait déjà été la jeune fille. Le monstre sourit, plongeant dans les cheveux de Derek avec ses doigts noueux.

« Heureusement pour toi, je ne suis pas revancharde. Es-tu venu te faire pardonner ? »

L'ancienne colère de Jori éclata en elle, et ses mains se nouèrent, tellement elle avait envie d'étrangler Marisa. Comme pour lui répondre, une mince rampe se matérialisa à l'extrémité de la passerelle, la joignant à l'île. Jori s'y précipita et la tête de Marisa se leva soudainement. Elle bondit avec empressement, ses doigts s'enfonçant dans le cuir chevelu de Derek.

Jori s'arrêta. Ce ne serait pas une façon d'aider Derek. Ce geste ne résoudrait rien. Elle s'obligea à garder une expression inoffensive sur son visage. « Marisa. Qu'est-ce qui se passe ? Que crois-tu faire ? »

La chose sourit, exposant des dents pointues. « Qu'est-ce qu'il te semble que je sois en train de faire ? »

« On dirait que tu es assise sur un tas de boue avec des ordures dans tes cheveux. »

Les aides-sorcières tremblèrent de rage, et le visage de Marisa se rembrunit. Elle libéra Derek qui se traîna jusqu'à quelques mètres de là. « Encore aveuglée par la jalousie, n'est-ce pas ? »

La mâchoire de Jori tomba. « La jalousie ? Es-tu... » Elle s'obligea à demeurer calme. « Non, je ne suis pas jalouse. Je pense tout simplement que c'est peut-être le moment pour nous tous de sortir d'ici. Nous tous, ensemble. »

Marisa la regarda comme si elle était devenue folle. « Partir. Pourquoi est-ce que je voudrais partir ? »

« Pour que tu puisses revenir à la maison, et retrouver tout ce que tu as... » Jori hésita, puis ravala les restes de sa propre blessure et douleur... « Tout ce que tu as accompli là-bas. Et tous les rêves que tu rêvais d'obtenir. »

Le visage de la créature se fit de pierre. « Et ce n'était que cela. Des rêves. Le vieil homme avait raison. Il n'y avait aucune garantie là-bas, et tout ce que j'obtenais aurait pu disparaître en un mois, ou un jour. Mais ceci », son bras balaya l'île. « Tout ceci m'appartient, et ça durera toujours. »

Jori cligna des yeux, comprenant soudain. Marisa ne voyait pas où elle était. Elle voyait ce que Maligor voulait qu'elle voie. Pour ce qu'en savait Marisa, elle était toujours une reine qui vivait dans son palais de l'île.

« Marisa, écoute-moi. Tu n'es plus la reine du Nil. N'es-tu pas capable de comprendre où tu te trouves vraiment ? Ce que c'est réellement. »

Marisa la fixa, résistant, mais Jori continua à la regarder fixement. Finalement, les yeux de Marisa se détachèrent du visage de Jori et commencèrent à vaciller sur tout ce qui l'entourait. Au début, elle fit un signe affirmatif de la tête, son expression suffisante et satisfaite. Mais ensuite, elle cligna des yeux et son sourire faiblit.

Jori se pencha vers elle.

« Tu le vois, n'est-ce pas, Marisa ? » La fille ne répondit pas, mais son visage commença à se tordre, l'horreur chassant le petit sourire de satisfaction.

« Allez, Marisa. Reviens avec nous. Tu pourras encore obtenir tout ce que tu voulais... »

« Non ! » hurla Maria, se débattant sauvagement. « Vous essayez de me tromper. Je savais que vous le feriez ! Vous voulez que je redevienne telle que j'étais. Une rien. Une personne sans importance ! »

« Non. Ce n'est pas... »

« Va-t-en. Va-t-en, *monstre balafré !* » Elle bondit, tailladant Jori de ses griffes.

« Marisa, arrête ! Laisse-la tranquille ! »

C'était Derek. Il se tenait en tremblant devant le tas de boue, les bras étendus, son visage suppliant la fille qui tremblait et grondait devant eux. « Laisse-la tranquille, s'il te plaît. » Marisa recula, ses yeux se rapetissant pendant qu'elle fixait Derek. « Elle a raison, Marisa. Tu dois venir avec nous. Je ferai tout ce que tu veux. Je te laisserai même tranquille pour le reste de ta vie si seulement tu fais cette chose pour moi. »

La panique disparut du visage de Marisa et sa tête se pencha comme si elle réfléchissait. « Tu m'aimes vraiment, n'est-ce pas ? »

Sa voix était un ronronnement incongru dans son visage défiguré. Derek la regarda fixement.

« Oui. »

« Tu me vénères. »

Il fit signe que oui, en tremblant.

« Alors, reste avec moi », dit-elle, se penchant vers lui. « C'est ce que tu veux, n'est-ce pas ? »

Derek hésita. Lorsqu'il répondit, sa voix ressemblait à un murmure. « Oui. »

Choquée, Jori fixa Derek. Il était aussi perdu que Marisa dans son cauchemar. Elle saisit son bras.

« Ne l'écoute pas, Derek. Ne la laisse pas t'engloutir avec elle ! »

Mais Derek tendait déjà le bras pour atteindre la griffe de Marisa.

Newt bondit devant Jori, la poussant sur le côté. Il attrapa Derek, l'arrachant brusquement de la poigne de Marisa. Elle tomba sur le sol en hurlant.

Deux des sorcières bondirent sur Newt. L'une d'entre elles le fouetta au visage de son long bras, le faisant tituber vers l'arrière. L'autre bondit sur lui, le battant sur la poitrine et l'estomac en se servant de ses griffes raides. Jori bondit vers l'avant, enfonçant ses ongles dans les épaules osseuses de l'une des sorcières. Mais ses muscles semblaient faits de fer.

« C'est assez ! », hurla Marisa. Les sorcières s'immobilisèrent. Quand Marisa parla de nouveau, sa voix était terne.

« Vous ne valez pas l'effort », dit-elle, puis elle regarda directement vers Derek. « Aucun d'entre vous. » Elle leva la main et ordonna à ses assistantes. « Disposez d'eux », ordonna-t-elle. « Et ne laissez jamais rien qui leur ressemble m'approcher à nouveau. »

Avant que Jori ne puisse bouger, elle fut saisie au cou et traînée dans l'eau froide et verte. La boue entra dans son nez et dans sa bouche, et elle essayait de s'agripper frénétiquement à quoi que ce soit vers la surface. Mais quelques secondes plus tard, on la poussait dans un banc de boue, toussant et haletant, comme un paquet d'ordures. Lorsqu'elle leva les yeux, elle ne vit qu'un dos verts osseux qui disparaissait sous la surface.

Elle entendit quelqu'un près d'elle qui respirait avec difficulté, et elle se retourna pour trouver Newt qui enlevait ses cheveux mouillés de ses yeux. Derek était assis pas très loin de lui, la tête basse, ses doigts enfoncés dans ses cuisses. L'angoisse sur son visage la déchira.

« Derek. Écoute. Nous ne pouvions rien faire. »

« Je sais », dit-il, sa voix si basse que Jori pouvait à peine l'entendre. « Mais c'est à cause de moi qu'elle est comme ça. Moi. »

« De quoi parles-tu ? »

« Avant de venir ici, vous pensez que je ne savais pas qu'elle en avait assez de moi ? Je suis stupide, mais pas aussi stupide que ça. Je l'ai traînée dans la tapisserie pour ne pas la perdre. » Sa voix semblait étranglée. « Regardez plutôt ce que je lui ai fait. »

Jori se rapprocha de lui. « Derek, ce n'est pas ta faute, pas plus que ce n'est la mienne. Peut-être l'as-tu emmenée ici, mais ce que tu lui as donné était magnifique. C'est elle qui est responsable de l'avoir détruit. »

« Mais… »

« Là-bas dans le palais, elle t'aurait laissé pourrir. Tu devais le savoir. C'est pourquoi elle n'a pas abouti dans ces fosses quand elle est venue ici, comme le reste de nous. Maligor sait qui il doit détruire, et qui fait déjà partie de lui. »

Derek s'assit tranquillement pendant quelques minutes, le front entre les genoux. Finalement, il leva la tête. « Peut-être avez-vous raison. Pourtant, j'aurais aimé en être certain. »

« Ici, rien n'est certain », dit Newt. « Sauf peut-être une chose. »

« Quoi ? »

« Tu étais bien trop bon pour elle, mon homme. »

Derek le regarda, étonné. Puis l'ombre d'un sourire apparut dans son visage. « Ouais. Peut-être que j'étais trop bon. »

SEIZE
LA MONTAGNE SANGLANTE

Le marécage semblait maintenant vouloir se débarrasser d'eux, retirant subtilement les obstacles qui auparavant avaient bloqué leur chemin. À chacun de leurs pas, la végétation devenait plus clairsemée, le sol plus solide. Les arbres aux troncs épais semblaient s'amincir, puis disparaissaient complètement comme s'ils avaient été aspirés dans la terre. Seuls demeuraient les ombres, ainsi que le pouls régulier de la montagne au loin.

Un minuscule trait de lumière rouge perça l'obscurité, projetant son faisceau stroboscopique sur le paysage. Il passa au-dessus du sol comme un éclair vers l'endroit où se tenaient Jori et les autres, puis s'éleva de nouveau lentement, traçant délicatement leur silhouette autour de leur corps.

Jori leva les yeux et vit que le faisceau provenait du sommet le plus élevé de la montagne. Elle nous épie, pensa-t-elle. Pour voir si elle nous a déjà anéantis. D'un air de défi, elle releva le menton, puis fit signe à Newt et à Derek. Ils hochèrent la tête et les trois se dirigèrent à nouveau vers la troublante géante noire.

Il s'écoula une heure environ, et de sa langue, Jori mouilla ses lèvres sèches. Si seulement la chaleur pouvait diminuer. Mais l'air devenait plus chaud, plus sec, lui écorchant presque la peau. Même le sol était desséché, une plaine rouge craquelée où rien ne bougeait, et où ne poussait aucune plante. Au moins, personne ne pouvait se cacher, pensa Jori, et elle se détendit légèrement, se permettant un moment sans avoir à penser, à s'inquiéter ou à parler.

Newt et Derek prirent la relève. Malgré la chaleur, les deux étaient absorbés dans leur conversation, et Jori demeura un peu en arrière pour permettre à leur amitié de prendre racine. À un moment donné, elle vit Newt poser sa main sur son propre cou et faire semblant de s'étrangler. Derek était plié en deux tellement il riait. Jori secoua la tête.

Finalement, Newt s'arrêta et l'attendit.

« Tu sais », dit-il, poussant quelques mèches de cheveux trempés de sueur du front de Jori. « J'étais simplement en train de dire à Derek que c'est une bonne distraction que de risquer la mort, le démembrement, et l'ingestion par des monstres, mais quand ils s'ennuient, la plupart des gens ne font qu'aller au cinéma. Qu'en penses-tu ? On trouverait peut-être encore des billets bon marché pour une matinée. »

« Bien sûr, dit-elle. Si je peux avoir du maïs soufflé format géant. » Mais alors le visage de Newt sembla se fondre devant elle, et son cœur commença à battre fort contre sa poitrine.

« Jori. Ça va ? »

« Je ne suis pas sûre. » Une vague d'étourdissement roula dans sa tête, puis lui retourna l'estomac. « Peut-être pas. » Un moment plus tard, ses genoux fléchirent. Newt et Derek l'attrapèrent par les bras, et la firent glisser délicatement au sol.

« C'est cette damnée chaleur », dit Newt. « Et toutes les choses qui te préoccupent. Reposons-nous un peu, d'accord ? »

« D'accord. » Jori se pencha vers l'avant, appuya sa tête sur ses genoux, et essaya d'empêcher son cerveau de tourner. Elle eut l'impression que Newt s'installait près d'elle en position accroupie, et elle sentit que sa main passait doucement dans ses cheveux.

« Ça fait du bien », murmura-t-elle.

La main de Newt s'éloigna de sa tête.

« Newt ? Pourquoi arrêtes-tu ? »

Il n'y eut aucune réponse. Elle leva la tête, regarda autour d'elle, confuse. Tout ce qu'elle voyait, c'était la plaine vide et un ciel sombre et lancinant.

« Newt ? Derek ? Où êtes-vous ? »

Il n'y eut pas de réponse. Confuse, elle leva sa tête regardant autour d'elle. Elle ne vit que la plaine déserte et le ciel sombre et vrombissant.

« Newt ? Derek ? Où êtes-vous ? »

Toujours pas de réponse. Tremblante, elle se leva. Elle fit quelques pas chancelants et le phare rouge heurta son visage, l'aveuglant. Se protégeant les yeux, elle leva son regard vers la montagne. Elle l'observait. Attendant. Elle ressentit une bouffée de terreur et sa voix racla sa gorge desséchée.

« Qu'avez-vous fait d'eux ? »

Le faisceau de lumière quitta son visage, et la ligne se déplaça pour pointer derrière elle. Elle se retourna lentement, et son cœur vacilla.

Non. Ce n'était pas possible. Les trous n'étaient pas là auparavant, elle les aurait vus. Maintenant elle entendait des cris et des halètements tout autour d'elle, s'élevant d'un champ interminable, rempli de fosses noires béantes.

Elle était de retour dans la plaine des Horridins.

« Non », murmura-t-elle. « S'il vous plaît, pas ici. Faites qu'ils ne soient pas ici. Derek mourra s'il rencontre à nouveau ces choses. Et Newt... Newt... »

Elle entendit une plainte dans la fosse juste devant elle, et bondit vers lui. Tombant sur ses genoux, elle regarda vers le bord.

Et elle commença à hurler.

« Jori ! Jori ! Réveille-toi ! »

Elle haleta, ses yeux s'ouvrant brusquement, et découvrit Newt qui la tenait par les épaules, le visage blanc. Derek demeurait derrière lui, également secoué.

« Bon Dieu, Jori ! Ça va ? »

Pendant un moment, elle ne répondit pas. Puis, lentement elle hocha la tête.

« Ouais. Ouais, ça va. Seulement... » Elle les regarda l'un après l'autre. « Je pensais qu'on vous avait capturés, que vous étiez retournés dans les fosses. Je vous ai vus au fond de l'une d'entre elles. Vous étiez là tous les deux... » Elle regarda Derek, qui hochait la tête, presque imperceptiblement.

« Mais nous n'y sommes pas », dit Newt. « Nous sommes ici. »

« Je sais. Mais... » Elle frissonna violemment. « Écoutez. Nous devons demeurer ensemble, d'accord ? Nous serons assez fort pour venir à bout de cet endroit si nous demeurons ensemble. »

« Tu plaisantes ? », dit Newt, essayant de la calmer. « J'accepterais un pari pour me battre contre Maligor n'importe quand. » Jori ne sourit pas. « D'accord, d'accord. Nous nous tiendrons comme de la colle. »

Derrière eux, le sol gronda.

« Merde », dit Derek. « Regarde là-bas. »

Encore une fois, le paysage se transformait. Provenant de la plaine, des arêtes aiguisées comme des rasoirs et des bandes dentelées de pierres s'éraflaient les unes contre les autres pour former une fantasmagorie sauvage de pierres rouges brûlantes. Le sol hurla et sanglota en se divisant, la vapeur sifflant à travers les fissures. À travers les formations tordues, les fils ornés de pierres précieuses de la tapisserie s'élancèrent comme des filets de feu.

Jori regarda fixement, souhaitant être capable de voir au-delà de cette nouvelle barrière, tentant encore une fois de ne pas perdre espoir. Elle ferma les yeux, imagina Lisa à l'autre extrémité de l'un des fils brillants, attentant patiemment qu'elle vienne. Lorsqu'elle finit par ouvrir les yeux, Newt l'observait.

« Nous la trouverons, tu sais. »

« Je sais. » Elle se força à sourire, puis prit une profonde respiration. « Vous êtes prêts, les gars ? »

Derek leva un sourcil. « Nous le sommes. Et toi ? »

« Ça va. Allons-y. »

Ils s'avancèrent avec précaution sur les arêtes et entre les colonnes géantes de pierres, suivant les bobines brillantes de tapisserie dans la sombre forêt de pierres. Pendant leur ascension, des protubérances aiguës sur les dalles de pierres leur coupaient les bras et les jambes, et la chaleur brûlante leur donnait des ampoules aux mains.

Près des extrémités du labyrinthe, le sol montait abruptement, formant un dernier mur qui les séparait de la montagne. Pendant qu'ils grimpaient, Jori ressentit à nouveau son épuisement qui sapait ses faibles réserves d'énergie. Newt fit signe à Derek et ils se déplacèrent un peu plus en avant, essayant de trouver les chemins les plus faciles.

Tandis qu'ils approchaient du sommet de la pente, Newt et Derek firent une pause pour attendre Jori. Elle n'atteignit le sommet que pour découvrir qu'un chemin également tortueux se s'étendait devant eux. En bas, la pente rude était recouverte de dalles de roc brisé et de courants changeants de sable. Elle menait à un canyon ombré qui s'ouvrait progressivement à nouveau à la base de la montagne sombre.

« Venez », dit-elle, et elle commença à descendre.

La terre hurla.

Un tremblement violent fit vibrer les os de Jori et le sol tangua, lui faisant perdre pied. Des fissures s'ouvrirent, et des tranchées dentelées firent craquer la terre comme des éclairs. L'une se dirigea vers Jori comme une flèche, se fendant de chaque côté d'elle, l'isolant sur une tour de roc qui semblait prête à s'effondrer. De ses doigts, elle cherchait désespérément une prise au sol pendant que Newt glissait sur la pente pour la rejoindre.

« Attrape ma main ! », cria-t-il. Mais le vide qui les séparait était déjà trop grand.

Une énorme pierre faisait saillie entre eux, se redressant très haut au-dessus de la tête de Jori. Malgré le hurlement des pierres, elle entendit Newt qui criait son nom. Avant qu'elle ne puisse répondre, la tour de pierre s'effondra. Elle fut balayée dans une avalanche de terre et de pierres.

Les pierres vrombirent vers le bas, rasant les buissons et s'écrasant contre les murs qui continuaient à s'élever autour d'elle. Jori se battit désespérément contre la rivière de pierres, terrifiée à l'idée d'y être enterrée vivante. Puis le sol finit par se stabiliser. Elle heurta violemment un arbre mort couvert d'épines et s'enroula autour de lui, sanglotante et tremblante dans la poussière. Elle sentit que son sang dégoulinait sur le côté droit de son visage, ses cicatrices déchirées et à vif.

Le tonnerre de roc diminua, remplacé par un silence angoissant. Jori se tint debout, le cœur battant, et appela Newt et Derek en hurlant. Personne ne répondit.

Tout comme dans son rêve.

La montagne se dressait au-dessus d'elle, ses grottes brillant comme un millier d'yeux méchants, les palpitations de la lumière rouge formant un halo obscène autour de ses pics. À partir des entailles dans ses flancs, les courants des rivières noires faisaient un bruit de tonnerre rugissant en passant sur les pierres pour descendre vers les pourritures à perte de vue de Maligor.

Elle sentit un léger mouvement au-dessus d'elle. Des chacals rampaient dans l'ombre, leurs silhouettes recourbées rôdant sur le flanc brisé de la montagne. Ils la regardèrent fixement, les pattes raides, baragouinant frénétiquement.

Ils m'attendent toujours, pensa-t-elle. Ils savent que je ne peux...

Elle laissa échapper un sanglot et elle s'affaissa sur le sol. Tout était fini. Les chacals en étaient la preuve. Newt et Derek étaient morts, ils devaient l'être, ensevelis sous le roc. Et Lisa — comment avait-elle été assez stupide pour croire que sa soeur pouvait encore être vivante.

Le deuil déboula sur elle encore plus violemment que la rivière de pierre. Elle comprit finalement pourquoi Derek avait attendu silencieusement à l'extrémité du piège mortel, souhaitant simplement que son agonie se termine.

« Ce n'est pas comme ça qu'on trouve la paix, jeune fille. »

Le bavardage des chacals cessa. Sans même lever les yeux, Jori tendit le bras pour poser sa main sur la fourrure épaisse de Ragar. « Comment se fait-il que vous sachiez toujours quand j'ai besoin de vous ? »

« Je le sais. » La langue rugueuse de la louve frotta sa joue. « Mais je sais aussi que vous survivriez toute seule, si vous le deviez. »

« Et s'ils sont tous morts ? Lisa, Newt, Derek, mon père. Comment continuer alors ? Pour quelle raison voudrais-je même continuer ? »

La louve frotta son museau contre elle. « Vous continuez tout simplement. Pour vous. Pour les autres qui restent. Pour ceux qui ne sont pas encore entrés dans votre vie. » Ragar s'éloigna doucement, et les bras de Jori glissèrent de son épaule. « Mais cessez pour un moment de vous servir de votre cerveau, jeune fille. Que vous dit votre cœur ? Croyez-vous vraiment que vous les avez tous perdus ? »

Jori hésita, écouta quelque chose en elle. « Non. Il ne me semble pas qu'ils soient partis. Même pas Lisa. »

« Alors, vous avez encore de l'espoir. Et l'espoir apporte toute la force qu'il vous faut. Maintenant, venez, jeune fille. Nous trouverons ce qu'il y a à l'intérieur de la montagne. »

Jori leva les yeux, remplie d'espoir. « Nous, Ragar ? »

« Oui. Cette fois-ci, je ne vous quitterai pas. »

Et Jori sentit qu'elle retrouvait ses forces.

***

Jori se dressa sur ses pieds et prit une profonde respiration. Ragar fit signe de la tête, et elles s'avancèrent prudemment autour de la base de l'avalanche, à l'endroit où les veines ornées de pierres précieuses émergeaient encore une fois du roc tombé.

« Si Newt et Derek sont encore vivants », dit Jori, « ils sauront que j'aurai suivi les fils. Ils prendront donc eux aussi ce chemin. »

« Peut-être. Mais s'ils croient qu'ils vous ont perdue, ils peuvent décider qu'il est temps pour eux de s'enfuir de ce lieu. »

Jori hésita, puis entendit une voix dans sa tête — *Nous n'allons pas cesser d'essayer de nous protéger l'un l'autre à partir de maintenant.* Elle sourit brièvement. « Non. Newt ne serait jamais parti sans d'abord essayer de me retrouver. C'est une chose dont je suis certaine. »

Elles continuèrent à suivre les fils, et Jori scruta les imposants pics sombres pour trouver un moyen d'entrer à l'intérieur. À mesure qu'elles s'approchaient, les rivières noires leur semblaient encore plus hideuses, faisant un bruit du tonnerre vers la plaine à partir des entailles du flanc de la montagne, frappant la terre desséchée avec un fort sifflement et une explosion de vapeur. Les côtés de la montagne scintillèrent dans la brume montante, ressemblant plus à de la peau qu'à de la pierre, et à certains endroits la membrane était fendue, révélant une base terne et blanche qui, de façon assez troublante, ressemblait à un os.

Elles finirent par arriver à une arête élevée et épaisse qui s'avançait en saillie au pied de la montagne. Les fils en barbouillaient la base et s'enroulaient autour de l'autre extrémité. De l'autre côté, parvint un grognement faible et terne, qui se transforma rapidement en un hurlement violent.

Ragar se tapit très bas, et Jori s'aplatit contre le roc qui se tordait sous elle de façon grotesque. Elle hésita, puis elle s'avança nerveusement un centimètre à la fois vers l'endroit où disparaissaient les fils. Elle s'obligea à cesser de trembler, prit une profonde respiration, et bondit vers l'extrémité.

Une rafale d'air froid hurla près d'elle. Levant les yeux, elle regarda fixement le visage tordu de la montagne Sanglante.

La bouche de la montagne s'ouvrait toute grande, comme en un sourire espiègle, des stalactites dégoulinaient de son arche supérieure et de fines pointes se dressaient à partir du bas. L'intérieur de la grotte était d'un rouge brillant, et Jori pouvait voir des douzaines de rouleaux de la tapisserie, tordus, courant vers l'intérieur entre les dents pointues de la montagne.

Elle s'obligea à continuer à bouger, essayant de ne pas trop penser. Mais la montagne se mit à hurler à nouveau, vivante et démentielle. Jori posa une main tremblante sur le cou de Ragar.

« Ragar, vous m'avez dit un jour que vous étiez ma protectrice. N'auriez-vous pas l'idée de me dissuader de continuer ? »

« Le voulez-vous vraiment ? »

Oui, pensa Jori. Absolument. « Non. Bien sûr que non. »

« Alors, c'est bien. » Ragar s'avança vers les mâchoires ouvertes de la montagne et Jori la suivit dans la grotte.

Elles rampèrent vers l'avant pendant quelques mètres, puis firent une pause pour que leurs yeux s'ajustent à la faible lumière. Regardant autour d'elle, Jori vit qu'elles se trouvaient dans une énorme caverne. La lumière qui s'y réfléchissait lui donnait une couleur rouge foncé, l'humidité y suintait comme un abcès à vif. L'endroit était si élevé que l'obscurité avalait le plafond ; si vaste qu'on aurait pu construire un petit village à l'intérieur. Devant elles, le sol de la grotte ondulait, sombre et brillant, comme une mer de lave gelée.

Quelque part au-dessus d'elles, un bruit bizarre de grattement leur parvint. Jori scruta les murs de la caverne et vit qu'ils étaient marqués de rainures dentelées comme si une griffe géante avait égratigné le roc. Les rainures créaient une série d'arêtes et de sillons, le long desquels Jori pouvait apercevoir des douzaines d'ouvertures — des chambres ou des tunnels - elle n'en était pas très certaine.

Un chacal sortit nonchalamment de l'une des ouvertures, puis il y en eut un autre, et encore... une douzaine se joignirent aux premiers. Jori tressaillit, mais cette fois les créatures ne firent que l'observer, sentinelles sombres perchées sur les tourelles de pierre.

« Êtes-vous prête ? », demanda la louve.

Jori fit signe que oui. Elle s'obligea à regarder à nouveau les fils de la tapisserie, qui serpentaient vers le côté opposé de la caverne. À cet endroit, la grotte se rétrécissait abruptement, se resserrant comme une gorge. De ce tunnel, la lumière rouge vibrait comme un battement de cœur.

« Ici, je crois », dit Jori. La louve hocha la tête, et les deux traversèrent le sol de la caverne sous les regards furieux des chacals. Leurs pas cliquetaient et se répercutaient à travers la caverne, se mêlant au grondement étouffé des rivières noires qui vibraient dans les murs de la grotte.

Après ce qui sembla des heures, mais peut-être ne s'était-il écoulé que quelques minutes, elles atteignirent le tunnel du côté opposé. D'une manière presque hypnotique, comme pour les attirer à l'intérieur, la lumière continuait à vibrer régulièrement.

Le passage était étroit à en suffoquer, tapissé de colonnes raboteuse qui se courbaient vers l'intérieur comme des côtes éraflées. Derrière les colonnes, des tas de pierres vibraient à chaque battement de la lumière rouge. Et au-delà des pierres, il y avait encore d'autres petites grottes ; le même type de pièces d'où avaient jailli les chacals dans la plus grande caverne. Jori se rendit compte qu'elles étaient probablement toutes reliées, formant un labyrinthe compliqué à l'intérieur de la montagne.

« Je déteste ça », dit Jori. « Et s'ils ne font qu'attendre pour nous attaquer ici, d'où on ne peut s'enfuir à nulle part ? »

Un bruissement sec parvint de sa droite. Ragar grogna, et Jori s'éloigna du bruit. Elle effleura une pile de pierres détachées, répercutant le bruit à travers la grotte. Le bruissement recommença, plus déchaîné cette fois-ci, et ses entrailles se liquéfièrent. Ragar bondit vers elle, la poussant violemment vers l'avant. Elles coururent à travers le tunnel et sortirent en trombe par le côté opposé — dans le lieu le plus horrible et le plus magnifique que Jori n'avait jamais vu.

S'ouvrait devant elle une autre énorme caverne presque deux fois plus grande que la première. Mais celle-ci resplendissait de couleurs, étincelait de la lumière de cristaux enchâssés. Le fil de la bobine ornée de pierres précieuses qui avait conduit Jori à travers la montagne se divisait maintenant en des douzaines de fils étincelants. D'un peu partout, à partir du mur de pierre, comme des éclairs colorés, les fils se dirigeaient vers une centaine d'endroits différents autour de la grotte, pour ensuite flotter vers le centre vide, et se croiser l'un l'autre en formant des motifs élaborés.

Des araignées blanches géantes rampaient sans bruit au milieu des fils.

Chacune des créatures était large de plusieurs mètres. De la soie s'écoulait de leurs abdomens pendant qu'elles s'occupaient méticuleusement des fils — en ancrant certains, en réparant d'autres, et en joignant les fils de la tapisserie avec des lignes fines de leur cru. Filant une énorme, hideuse et monstrueuse toile, d'une beauté éblouissante.

Les yeux de Jori voyagèrent de haut en bas d'un fil, puis vers un autre, se perdant dans les motifs complexes. Elle se rendit soudain compte que les fils colorés circulaient tous dans une même direction – vers le centre de la caverne. C'est là qu'ils se croisaient en un cocon fragile qui flottait dans les airs, sa surface parfaite ondulant avec des couleurs arc-en-ciel liquides qui tourbillonnaient comme des nuages. De ce centre vibrait l'étrange lumière rouge.

« C'est le cœur », murmura Jori. « Le cœur de la tapisserie. » Elle regarda Ragar. « C'est donc là où nous devons aller. »

La louve hocha la tête. Jori vit un chemin défoncé qui conduisait de l'endroit où elles se trouvaient jusqu'au sol de la caverne. Elle et Ragar descendirent avec précaution, surveillant pour voir comment les araignées réagiraient. Mais affairées à leurs tâches, les araignées ne remarquèrent rien.

Elles finirent par atteindre le sol et commencèrent à se glisser silencieusement sur la pierre froide, évitant soigneusement les fils funestes qui ancraient la toile au sol. Jori entendit un froissement et jeta un œil vers le haut en direction de la voûte étincelante.

Newt était accroché au-dessus, enveloppé dans un linceul de fils soyeux.

Jori haleta et Ragar gronda, les oreilles aplaties sur sa tête. Les yeux de Newt étaient fermés et une fine membrane de soie était tendue sur sa bouche ouverte. Ses bras étaient attachés contre sa poitrine, mais ses paumes faisaient face vers l'extérieur, comme s'il s'était battu pour se libérer.

« Non », gémit Jori. « Mon Dieu, Newt, non… »

Soudain, Ragar bondit vers l'avant. « Attendez ! », dit-elle. « Regardez-le ! » La poitrine de Newt montrait un faible mouvement de respiration. « Il est encore vivant ! »

« Mais que pouvons-nous faire ? Il est trop haut ! » Jori regarda frénétiquement autour d'elle, puis remarqua un groupe de stalagmites à seulement quelques mètres de là. Elle donna un coup de pied sur l'une d'elle, la détachant. La levant au-dessus de sa tête, elle la balança de toutes ses forces vers la toile qui retenait Newt.

La pointe s'enroula dans les fils collants, attachés à sa surface comme de la colle. Jori se pencha vers l'arrière, tirant du poids de tout son corps. La toile commença à s'étirer. Ragar se précipita directement sous Newt.

« Plus fort, ma fille ! », cria la louve. Et Jori donna une autre puissante secousse.

Ragar bondit dans les airs, ses mâchoires attrapant la toile épaisse près des chevilles de Newt. Les fils de la toile s'étirèrent encore plus, devinrent plus fins et cassèrent. Le hideux paquet tomba au sol.

Des murmures frénétiques se répercutèrent dans la grotte alors que des douzaines de pattes voltigeaient à travers les fils de soie. Horrifiée, Jori leva les yeux pour voir les araignées converger sur elle. Puis elle entendit une faible voix.

« Jori ! Par ici ! »

Accroupi dans une crevasse du mur, se trouvait Derek, de la soie d'araignée emmêlée dans ses cheveux et ses vêtements. « Vite ! Elles vont arrêter quand tu t'éloigneras de la toile. »

Jori attrapa les épaules de Newt, le souleva à demi, et tituba vers l'endroit où Derek s'efforçait de se remettre sur pied. Les araignées s'arrêtèrent où la toile était déchirée, travaillant furieusement pour réparer les dommages.

Derek trébucha vers l'avant, aidant Jori à traîner Newt, pour les derniers mètres qui restaient, jusqu'à l'intérieur d'une petite cavité dans le roc. Ensemble, ils s'agenouillèrent à côté de lui, déchirant les fils sur son corps. Mais son visage était gris et ses yeux restaient fermés. Derek posa son oreille sur sa poitrine.

« Je ne sais pas », dit-il d'un ton misérable. « Je ne saurais dire. »

« Allez, Newt », supplia Jori. « N'arrête pas de te battre maintenant. » Elle posa sa bouche sur la sienne et fit pénétrer de l'air profondément dans ses poumons.

« Merde », dit Derek, son visage pâle. « Merde, merde, merde. Je suis retourné maintes fois, et j'ai essayé de le descendre, mais ces choses.... »

Newt haleta. Des convulsions firent tressaillir sa mince ossature et tordirent ses membres. Puis, tout son corps sursauta violemment contre la pierre.

Jori l'attira vers elle, le tint dans ses bras et le berça, hurlant sa peur pendant qu'il luttait contre la mort.

Puis, les spasmes finirent par diminuer. Sa respiration irrégulière se stabilisa, et sa peau commença à reprendre sa couleur normale. Ses yeux s'entrouvrirent – et s'agrandirent alors qu'il fixait Jori.

« Hé », dit-il faiblement.

« Hé, toi-même », dit-elle, ses larmes finissant par couler. « Ne me fais plus de telles peurs, d'accord. »

« D'accord », murmura-t-il. « Je ne t'en ferai plus si tu ne m'en fais plus non plus ! »

DIX-SEPT
LA GARDIENNE

Jori se blottit contre les garçons dans l'humide abri de pierres. Elle s'assit à quelques centimètres seulement de Newt, touchant son bras de temps en temps pour se rassurer qu'il était vraiment vivant.

Il tenta de s'asseoir, puis retomba épuisé. « Encore un petit peu plus longtemps », dit-il. « Ensuite, nous pourrons continuer. »

« D'accord. Tu restes ici et tu te reposes. J'irai devant. »

« Non. J'ai simplement besoin de quelques minutes et... »

« Je ne peux pas. » Elle écouta le murmure de la toile, imaginant le cocon qui vibrait en son centre. « C'est cette chose qui est la clef de tout ceci. Je le sais. »

« Mais les araignées… »

Derek l'interrompit. « Si elle ne touche pas aux fils, les araignées ne l'importuneront pas. C'est ce qui t'est arrivé. Je t'ai vu trébucher sur un fil et ces choses t'ont attaqué une seconde plus tard. Elles ne m'ont même pas remarqué jusqu'à ce que j'essaie de te faire descendre. »

« Je serai donc en sécurité », dit Jori. « Aussi, Ragar… »

Elle s'arrêta.

« Qu'est-ce qui ne va pas ? », demanda Newt.

« Ragar. Elle n'est pas ici. »

« Qui n'est pas là ? », demanda Derek.

« La louve argentée. Celle qui m'a aidée à sortir Newt de la toile. »

« Je n'ai vu aucune louve. »

« Elle était là, juste à côté de moi. Elle m'a dit que cette fois-ci, elle ne me quitterait pas. » Jori regarda fixement un éclat de lumière qui brillait de la grotte.

Newt se leva sur un de ses coudes. « Elle ne t'a pas laissée. Elle est ici, Jori. »

« Quoi ? »

Jori sentit une bouffée de soulagement.

« Où ? »

Il se pencha et toucha sa main.

« Ici. »

Elle le regarda fixement, confuse.

« Ne l'as-tu pas compris déjà ? Elle est toi, Jori. Juste comme Kieran était moi. »

Elle secoua la tête.

« Non. C'est fou. Comment peux-tu penser une telle chose ? »

« Je te l'ai dit déjà. J'ai toujours su exactement qui tu es. »

Jori commença à protester, mais le visage de Newt reflétait l'assurance de sa voix, la certitude de ce qu'il croyait. Essayant de se voir telle qu'il la voyait, Jori sentit qu'elle s'ouvrait lentement à cette possibilité. Ce serait si merveilleux si Newt avait raison. Mais même si ce n'était pas le cas, Newt voyait tout de même Ragar quand il la regardait. C'était peut-être suffisant.

Elle finit par hocher la tête en signe affirmatif, puis se tourna vers Derek.

« Newt sera assez faible pendant un moment, il aura donc besoin de ton aide. Attends avec lui quelques instants, et ensuite vous me suivrez tous les deux aussi rapidement que vous le pouvez. »

« Ouais, d'accord. » Derek hésita, semblant lutter contre quelque chose. « Écoute. Ne fais pas quelque chose d'idiot, comme moi je ferais probablement, d'accord ? »

Elle retint un sourire. Puis, elle se glissa délicatement à travers la fissure dans le roc.

Une fois à l'extérieur, elle scruta rapidement la grotte. À l'endroit d'où elle avait arraché Newt, il ne restait qu'une seule araignée, qui donnait soigneusement de petits coups de patte sur un fil pour le remettre en place. Les autres étaient retournées à leurs interminables vérifications, tests, réparations.

Ses yeux fixèrent le cocon chatoyant. Elle avança lentement sur le sol de pierre, s'efforçant d'éviter les fils brillants. Alors qu'elle s'approchait, elle entendit un son inattendu — le bruit de quelqu'un qui chantait. La douce mélodie s'enroulait autour d'elle, la réchauffant de ses mots douloureusement familiers.

Nous sommes dans le jardin de lune, le jardin de lune magique
Caressé par les feuilles au bout éclatant
Où les arbres parlent en murmurant

Où les oiseaux ne dorment jamais
Où les fleurs n'ont pas besoin de graines
Et vous voyez ce que vous voulez croire…

Jori poussa un cri et courut vers le cocon flottant.

« Lisa ! », hurla Jori, des larmes coulant sur son visage. « Lisa, c'est moi ! »

La chanson s'arrêta. Puis, elle entendit la voix douce et claire de Lisa.

« Jori ? »

« Oui », sanglota Jori. « Oh mon Dieu, Lisa, tu m'as tellement manqué. Tu as tellement manqué à Maman. »

« Pourquoi es-tu ici, Jori ? »

La question la blessa comme gifle. Jori ressentit un soupçon de peur.

« Pour te trouver, Lisa. Pour te ramener à la maison. »

Il n'y eut pas de réponse.

« Lisa ? »

« Viens ici, Jori. Tu m'as manqué, aussi. »

Un délicat chemin de soie sortit en spirale hors de l'orbite, s'arrêtant aux pieds de Jori.

Elle y monta, puis entendit Newt crier depuis l'autre côté de la grotte.

« Jori, arrête ! N'y va pas ! »

« Il le faut », murmura-t-elle, refusant même de regarder de son côté. Elle courut sur le chemin fragile, son cœur battant dans sa poitrine. Lorsqu'elle atteignit le sommet, le mur du minuscule globe se fondit complètement, puis reflua derrière elle.

La pièce était plus grande qu'elle ne le paraissait, ses murs étaient incurvés, lisses comme de la perle et d'une clarté aveuglante. Jori se protégea les yeux, puis regarda autour d'elle. La sphère était divisée en de plus petites sections par de fins rideaux presque transparents, qui tourbillonnaient doucement bien qu'il n'y eut pas de brise. À l'intérieur de chaque section, il y avait de doux nids de soie — des places pour se reposer, pour dormir, pour rêver.

Au centre de la pièce, se trouvait une plateforme basse recourbée. S'y tenait debout, une jeune fille svelte aux cheveux bruns, dans une longue robe blanche. Lisa. Oh, mon Dieu, c'était vraiment Lisa. Elle tournait le dos à Jori, ses bras se tendant vers une ouverture dans le plafond. À travers cette ouverture coulaient les fils de rêve, dérivant comme de l'herbe marine jusqu'à la tête de Lisa. Ses mains les frôlaient avec grâce.

« Lisa ? Je suis ici. »

« Oui. »

Jori brûlait d'envie de courir vers elle, de se jeter dans les bras de sa soeur. Mais Lisa ne montrait aucune émotion, tandis que ses doigts dansaient parmi les fils brillants.

« Lisa. Pourquoi ne me regardes-tu pas ? »

« Parce que peut-être que tu n'aimeras pas ce que tu verras. »

« Qu'est-ce que tu… »

Lisa se retourna vers elle en pivotant. Ses yeux étaient recouverts d'un épais film blanc, aussi lisse que le verre et aussi dur que des écales. Ils s'arrêtèrent sur Jori d'un regard aveugle.

« Oh, mon Dieu », murmura-t-elle. « Que t'est-il arrivé ? »

Le sourire de sa sœur était froid et sans vie. « Quand on vit dans une grotte, les yeux ne sont pas importants. Surtout si on a l'intention de ne jamais partir. »

« De quoi parles-tu ? »

« Voici ma demeure. La vue ne ferait que me distraire de ce que je dois accomplir. »

Jori voulut s'enfuir du visage autrefois si joli qu'elle adorait tant, et qui maintenant l'effrayait tellement. Mais les yeux éteints la tinrent captive.

« Il me l'a promis. Le vieil homme. Il a dit qu'elle m'appartiendrait. »

« Qu'est-ce qui t'appartiendrait ? »

« La tapisserie. Toute la tapisserie ; pas seulement la partie que j'ai rêvée. Il a dit qu'il lui fallait la transmettre à quelqu'un un jour, quelqu'un qui en prendrait soin autant que lui. Et Jori — il m'a choisie. » Les yeux blancs brillèrent.

« Alors… pourquoi n'es-tu pas avec lui ? »

« Parce que j'en suis la gardienne. Je surveille les rêves, je m'assure qu'il n'y a rien en eux qui puisse faire du mal à la tapisserie. »

Jori leva les yeux à l'endroit où les fils dérivaient vers la pièce. Comme si elle sentait qu'elle les regardait, Lisa tendit le bras pour les caresser.

« Tout ce que j'ai à faire », dit-elle, « c'est de toucher l'un des fils. De cette façon, je peux voir le rêve qui s'y rattache et savoir s'il est toujours aussi superbe que le mérite la tapisserie. Regarde. » Ses doigts parcoururent un fil de saphir, et le globe commença immédiatement à s'animer et à briller. Des images dansèrent sur les murs lisses et sur chaque rideau chatoyant. Des images d'un royaume sous-marin avec un roi portant une fourche, et un triton glissant sur les coraux.

Jori pouvait voir Lisa qui pivotait en un cercle lent, les visions réfléchies dans ses yeux aveugles.

« Merveilleux », soupira Lisa. « Toujours superbe. »

Jori sentit sa peau se refroidir. « Et quand ce ne l'est pas ? »

Lisa libéra le fil saphir et tira un fil noir épais qui se tortilla dans sa main comme un serpent. « Alors, j'envoie la rivière noire. »

« Donc c'était toi », dit Jori, ses yeux fixés sur le fil grouillant. « Tu as envoyé la rivière au palais du désert. »

Le visage de Lisa s'assombrit. « Oui. Là-bas les rêveurs l'empoisonnaient. Je devais les faire sortir. »

« Et alors ? »

« La rivière sait ce qu'il faut faire avec ceux qu'elle trouve. Elle les emmène à Maligor. Ou elle laisse les charognards s'en charger. »

Ainsi, Derek avait été livré aux Horridins. Et Marisa…

C'était un cauchemar pire que les sorcières du marécage, pire que les fosses des Horridins. La chose devant elle n'avait plus rien de Lisa. C'était quelqu'un d'autre – quelqu'un d'aussi monstrueux que le vieil homme qui les avait emprisonnés.

« Mais pourquoi veux-tu cela, Lisa ? Pourquoi est-ce mieux que de revenir à la maison ? »

Les yeux blancs de la fille s'immobilisèrent.

« Veux-tu réellement le savoir ? »

« Oui. S'il te plaît. »

Lisa tendit à nouveau le bras vers les fils, en extrayant un fabriqué de purs fils d'or. « Le vieil homme m'a offert un autre cadeau. » Sa voix se fit plus douce, séductrice. « Prends ça et je te le montrerai. »

Jori recula. « Non. »

« Je suis ta sœur, Jori. Je ne te ferai pas de mal. »

Tu ne me ferais pas de mal si tu étais vraiment Lisa, pensa Jori. Mais peut-être… peut-être est-ce la seule manière de comprendre ce qui t'est arrivé. Elle prit une profonde respiration, ferma les yeux et saisit le fil.

Un éclair de chaleur dériva sur son bras, la projetant du sol et l'aspirant dans un tunnel tourbillonnant de lumière. Elle était dévorée par la panique. Mais avant qu'elle ne puisse hurler, le tourbillonnement cessa. Un moment plus tard, Jori entendit une voix profonde et chaleureuse, incroyablement familière.

« Hé Jo ! Viens ici et serre-moi dans tes bras. »

Ses yeux s'ouvrirent d'un coup sec. Et il était là, lui souriant, les bras étendus, attendant de l'étreindre.

« Papa ? »

« Qui t'attendais-tu à voir ? Le président ? »

Elle le regarda fixement, sans bouger.

« Bien », dit-il. « Si la montagne ne va pas vers Mohammed... » Il s'avança et l'enveloppa dans une suffocante étreinte, grognant en feignant la férocité. Elle se laissa fondre dans ses bras, la colère qu'elle avait ressentie envers lui depuis son départ s'évanouissant en un instant. Elle ressentit la chaleur de son corps, sentit le mélange bizarre de la lotion après-rasage et de la gomme à mâcher qui avait toujours semblé s'attacher à lui. Il déposa un baiser sur le sommet de sa tête, et elle le tint désespérément, ses doigts tenant fermement sa chemise. Oh à quel point cette étreinte lui avait manqué !

« Bien, qu'est-ce qu'il y a ?, murmura-t-il. Quelque chose ne va pas, ma chérie ? »

« Non », dit-elle, la gorge serrée. Tout va bien. C'est seulement que... tu m'as manqué.

« Je suis juste parti deux jours, ma douce. Avant, j'avais déjà fait de plus longs voyages. » Il y avait un brin d'inquiétude dans le ton de sa voix. « Tu es certaine que tout va bien ? »

Jori hocha la tête, ne se faisant pas assez confiance pour répondre.

« Parfait. Parce que j'ai plusieurs belles histoires cette fois-ci, mais je leur ai dit que je ne commencerais pas avant que tu ne reviennes à la maison. »

« Eux ? »

« Oui, eux. Tu sais. » Il soupira. « As-tu *encore une fois* oublié leurs noms ? »

C'est alors seulement que Jori prit conscience de l'endroit où elle se trouvait. Ils étaient debout dans la cuisine de leur maison, et c'était presque l'heure du repas. Sa mère se tenait debout devant la cuisinière, versant un riz à la casserole dans un bol, et massacrant joyeusement une mélodie. Elle cessa de chanter juste assez longtemps pour agiter sa cuiller vers Jori. « Heureuse de te rencontrer », dit-elle. « Désolée. Je n'ai pas compris le nom. »

Lisa était là également, riant pendant qu'elle aidait à mettre la table. Officiellement, elle était chargée de disposer l'argenterie, mais en ce moment, il semblait qu'elle préférait donner des petits coups de cuiller sur la table au rythme des chansons de sa mère. Jori ressentit un grand soulagement. C'était la Lisa dont elle se souvenait. Ricanant toujours, jacassant toujours. Le bonheur semblait ruisseler d'elle comme l'eau d'une fontaine.

Et ce qui était vraiment merveilleux à propos de l'image devant elle, c'est qu'elle n'était pas témoin d'un souvenir. C'était une scène actuelle. Dans la chevelure de sa mère, il y avait les fils gris qui étaient apparus l'année précédente, les livres de classe sur le plan de travail dans la cuisine étaient actuels, et Lisa avait l'âge qu'elle devait avoir.

Mais dans cet univers, leur père était encore avec elles. L'accident n'était jamais arrivé.

« D'accord », dit son père, frottant ses deux mains. « Étant donné que nous nous assoyons pour ce merveilleux dîner, seulement à demi brûlé ce soir, qui veut entendre pourquoi l'autre jour j'ai dû me nourrir de viande d'orignal grillée et d'huîtres frites des prairies ? »

« Bien, au moins après cela, le poulet semblera meilleur », dit la mère de Jori, déposant un plat de volaille noircie sur la table. « Jori, ma chérie, est-ce que tu irais chercher les verres ? »

Jori hocha la tête et se laissa entraîner par le rêve. Se retournant vers les armoires de la cuisine, elle écouta avec contentement la voix de son père, les rires de Lisa, et sa mère qui défendait son dîner avec passion. C'est tout ce dont j'ai vraiment besoin, pensa-t-elle. Simplement les trucs quotidiens avec les gens et tout ce qui s'y rapporte. Elle sortit quatre verres des étagères. « Qui veut de la glace ? »

« Moi, ma chérie », dit sa mère.

« Moi aussi », dit son père.

« Et un peu d'eau pour moi. »

Jori prit la glace, remplit le verre de son père avec l'eau du robinet, et se dirigea vers la table. Lisa lui sourit, les yeux étincelants. Tu vois ? Semblait dire son expression. N'est-ce pas *ainsi* que ce devrait être ?

Jori sourit, et déposa les verres à chaque place. Puis, elle remarqua qu'il n'y avait plus de cicatrices sur son bras.

Elle cessa de bouger.

Elle regarda sa famille, à nouveau complète, et ses yeux se remplirent de larmes. Oui, c'était ainsi que tout aurait dû être. Mais ce n'était pas le cas. Sa mère ne présentait pas d'excuses pour avoir brûlé le poulet. Elle était recroquevillée, seule dans une maison silencieuse, priant pour recevoir un mot de ses filles égarées. Et son père… son père n'était pas assis à la table, prêt à lui raconter des histoires amusantes. Au lieu de cela, il attendait dans un endroit où elle ne pouvait lui rendre visite qu'au moment où les barrières seraient refermées à la nuit tombante.

Un sanglot lui monta à la gorge. Elle marcha vers l'endroit où était assis son père et lui jeta un regard, essayant de mémoriser chaque cheveu sur sa tête, chaque ride autour de ses yeux.

« Papa », murmura-t-elle. « Pourrais-tu me prendre encore une fois dans tes bras ? »

Il parut surpris. « Désolé, mais pas plus qu'une fois par jour. » Mais il l'entoura de ses bras et la serra. Elle respira son odeur, sentit une dernière fois la chaleur de ses bras, et le serra jusqu'à ce que ses bras commencent à faire mal.

Et puis elle le laissa aller.

« D'accord, Lisa », murmura-t-elle. « Je comprends maintenant. Je comprends. Mais nous ne pouvons rester. »

Lisa la regarda en état de choc, et Jori entendit vaguement sa mère dire quelque chose à propos de ne pas quitter la table avant que le souper ne soit terminé.

« Allez Lisa. Nous devons partir. »

« Mais pourquoi ? N'est-ce pas ce que tu veux, aussi ? »

« Bien sûr que c'est ce que je veux. Mais pas si cela veut dire de faire du mal à Maman. Pas si nous devons renoncer à nos vraies vies. »

Les yeux de Lisa lancèrent des éclairs, et les écailles blanches glissèrent de nouveau sur eux. « Tais-toi, Jori. Simplement… tais-toi. Tu as déjà eu ta chance et tu l'as ratée. Tu l'as gâchée. » Elle s'avança vers la table. « Je n'ai pas besoin d'une vie plus réelle que celle-ci ! Et si ce n'est pas ce que tu veux… » Elle se leva lentement. « Alors, va-t-en. »

« Pas sans toi. »

« Essaie pour voir. Essaie, et regarde ce qui va arriver. »

Jori fit un pas vers elle. Lisa hurla et se démena, frappant Jori sur le côté de la tête. Jori chancela, mais attrapa le bras de sa sœur avant qu'elle ne puisse s'écarter. Puis. quelque chose la tint fermement, la saisissant comme une main géante, l'arrachant de sa maison, loin de ses parents. Elle hurla d'angoisse.

« Allez Jori. Réveille-toi ! » Elle cligna des yeux. Newt la tenait, la secouant durement. Elle était de retour dans le cocon. Et les rideaux arachnéens s'élevaient en tourbillons autour d'elle, vides d'images.

« Ça va ? Tu es revenue ? »

« Ouais. Ouais, ça va. Mais Newt, Lisa est toujours à l'intérieur. »

« Non, elle n'y est pas », dit Derek.

Il se tenait juste à quelques mètres, un bras enveloppé autour des épaules de Lisa et son autre main couvrant sa bouche. Lisa grognait, essayant de le mordre, mais il la retint avec autant d'entêtement qu'un pit-bull. En voyant son expression tendue, Jori pouvait s'apercevoir qu'il savait qui l'avait livré aux Horridins.

« Nous avons entendu ce qu'elle t'a dit », dit Newt, « et ça ne prend pas un génie pour imaginer dans quel rêve tu t'en allais. Je n'étais pas certain que tu reviendrais. »

Elle secoua la tête d'un air malheureux. « Je ne le voulais pas. Pas du tout. Mais je savais où j'étais. »

Elle entendit un grognement et regarda à l'arrière vers sa sœur. Le visage de Lisa était cramoisi de rage, et elle donnait des coups de pied sur les jambes de Derek.

Jori déchiqueta deux bandes de tissu de l'extrémité de sa chemise. « Désolée, Lisa. » Elle remit une bande à Newt qui attacha les mains de Lisa derrière elle, pendant que Jori la bâillonnait avec la seconde bande.

« Allez », dit Newt. « Sortons d'ici. »

Lui et Derek empoignèrent chacun un des bras de Lisa, l'obligeant à marcher entre eux. Jori conduisant la marche, ils s'avancèrent maladroitement dans le chemin en spirale, jusqu'au sol de la grotte.

Autour d'eux, des araignées dansaient dans la toile brillante. Lisa fit un brusque mouvement vers l'avant, donnant un coup de pied sauvage vers l'un des fils, mais Newt et Derek l'en empêchèrent avant qu'elle puisse l'atteindre. Elle grogna de frustration, cessa de se débattre, et chancela désespérément entre les deux garçons.

Le voyage à travers la grotte semblait interminable. Ils se faufilèrent avec une lenteur douloureuse entre les fils, regardant fixement les ombres des araignées qui passaient au-dessus d'eux. Newt était pâle, la sueur coulant sur son front. Mais ils finirent par atteindre l'autre côté et grimpèrent vers l'ouverture du tunnel.

À mi-chemin, Jori entendit crier Newt. Elle jeta un coup d'oeil vers l'arrière juste au moment où Lisa s'arrachait brusquement de la poigne des garçons et bondissait vers l'intérieur. Jori hurla, mais Lisa atterrit dans un filet de fils de rêve juste en dessous d'où ils se tenaient. Elle fouilla derrière son dos, libérant ses mains. Puis elle arracha la seconde bande qui couvrait sa bouche.

« Ils s'enfuient », hurla-t-elle se frayant un chemin à travers les fils aussi facilement que n'importe quelle araignée. « Attrapez-les ! »

Réagissant aux vibrations, les créatures sur la toile figèrent. Puis, elles se retournèrent et commencèrent à courir à toute vitesse à travers les fils. Newt attrapa la main de Jori et la traîna dans le tunnel.

« Que fait-on de Lisa ? », cria-t-elle essayant de reculer.

Newt la fit pivoter pour lui faire face. « Il est trop tard. Et si nous ne sortons pas tout de suite, il n'y aura personne qui rentrera à la maison pour retrouver ta mère. »

Jori le regarda, en état de choc. Puis ils coururent frénétiquement dans le tunnel, vers la caverne où attendaient les chacals.

DIX-HUIT
LE COMBAT FINAL

Des yeux faisaient scintiller les murs de la caverne. Perchés sur chaque roc comme des gargouilles de pierre sur les flèches d'une église, les chacals les dévisageaient avec intensité. Mais ils n'étaient plus seuls. Des Horridins sortirent des grottes à pas de loup pour s'accroupir à côté d'eux, faisant claquer leurs longues griffes. Derek se raidit, croisant ses bras déchirés sur lui.

« Merde », murmura-t-il. « Merde, merde, merde. »

Newt scruta nerveusement la grotte. « Qu'est-ce qu'on fait maintenant ? »

« Ils ne nous attaquent pas », dit Jori, sa propre voix tremblante. « Ils ne font que nous surveiller. Comme lorsque je suis entrée. Donc, je suppose… je suppose que nous devons simplement continuer à marcher. »

Ils s'avancèrent nerveusement vers le centre de la caverne. Le visage de Derek était devenu complètement blanc, mais les Horridins n'esquissaient aucun mouvement pour les poursuivre.

Puis, le sol commença à vibrer. De l'ouverture du tunnel, filèrent des douzaines d'araignées blanches, rampant vers les murs de la grotte et recouvrant la pierre, un contraste saisissant avec les créatures sombres déjà en attente. Quelques instants plus tard, une salle très élevée audessus du tunnel commença à luire. Jori aperçut un chatoiement de robes de soie, et sa sœur se glissa sur l'extrémité de la dalle de roc bordant la salle. Ses yeux aveugles brillaient dans les ombres de la grotte.

« Vous ne pouvez partir », dit-elle, faisant un geste vers l'armée de monstre. « Ils ne vous laisseront pas passer. »

« Lisa, non », supplia Jori. « Tu ne peux faire cela. »

« Oh oui, je le peux. Et pour protéger ce lieu, je le ferai. »

Jori fut déchirée par la tristesse. Tristesse pour sa famille brisée, pour sa sœur égarée, et pour Newt et Derek qui se tenaient à ses côtés. Les deux avaient survécu à des horreurs inexprimables, mais il était encore possible qu'ils perdent leur vie — victimes de leur loyauté envers elle, et du complot sinistre d'un vieil homme tordu.

Elle sentit un éclair de rage éclater en elle.

« Lisa ! », cria-t-elle, la fureur éclipsant sa tristesse.

« Écoute-moi ! *Je ne le laisserai pas nous blesser à nouveau !* »

Un chœur de hurlements haineux résonna à travers la grotte. Ragar traversa l'entrée comme une flèche, une douzaine de puissants loups gris sur ses talons. Ils formèrent un cercle autour de Jori et des deux garçons, les poils du cou hérissés et montrant les dents.

Newt attrapa l'épaule de Jori.

« Tu vois ? », dit-il, regardant fixement Ragar. « Qu'est-ce que je t'avais dit ? »

Jori l'entendit à peine. La louve argentée qui se tenait tout près d'elle semblait doubler de taille. Ses yeux lancèrent un regard perçant aux créatures qui hurlaient et gesticulaient sur les escarpements, et son grondement secoua les rocs de la grotte. Les chacals répondirent en rugissant, mais s'éloignèrent en reculant ; les araignées se mirent à trottiner vers le haut des murs.

« Nous gagnerons ce combat », dit Ragar.

« Je sais. »

Surgissant à travers le cercle de loups, Jori courut vers la chose qui avait été Lisa. Ragar bondit après elle, les autres loups resserrant le cercle autour de Newt et Derek. Jori escalada une mince bande de pierres, puis se hissa sur le rebord et se tint debout devant Lisa, regardant fixement dans la blancheur des yeux morts de la jeune fille.

« C'est ici que ça se termine », dit-elle, sa voix aussi dure que le roc sur lequel elles se trouvaient. « Si tu veux faire ça pour toi, je ne t'en empêcherai pas. Mais tu ne nous prendras pas avec toi. »

Il y eut soudain un chatoiement dans l'air derrière Lisa.

« Jori », fit une voix basse et inattendue. « Tu me déçois. » Son père sortit de l'obscurité.

Jori le regarda fixement, le choc effaçant sa rage. Comment se faisait-il qu'il soit ici, à l'extérieur du fil de rêve ? Mais Lisa sourit d'une joie méchante, reculant pour prendre sa main. « Tu vois ? », dit-elle, très énervée. « C'est toi qui as tort ! »

« Je m'attendais à plus de toi, Jori », dit leur père, ses yeux montrant sa douleur. « Tu n'étais pas prête à faire le même sacrifice que ta sœur — même si cela pouvait me ramener à toi. »

« Non », murmura Jori. « C'est faux. »

« Alors viens avec nous. Tu as vu ce que nous pouvons posséder. » Il lui tendit la main, et elle pouvait sentir son amour qui l'enveloppait. « Nous pouvons tous être heureux à nouveau. »

Ahurie, Jori tendit la main vers lui. Puis les mâchoires de Ragar happèrent l'air devant son visage.

« Regardez-moi, jeune fille ! » Les yeux de la louve la pénétrèrent, et Jori cligna des yeux. « Maintenant. Voyez ce qu'il est vraiment, et non pas ce qu'il veut que vous voyiez. »

Jori frissonna, puis leva les yeux une fois de plus. Se tenant debout derrière Lisa, la serrant fort dans ses griffes, il y avait le vieil homme perverti de la tapisserie.

« Lisa ! », hurla Jori. « Retourne-toi ! Ce n'est pas Papa. Mon Dieu, Lisa, retourne-toi et regarde-le ! »

Le doute envahit le visage de Lisa. Mais alors ses yeux blancs étincelèrent avec plus d'éclat et elle se pencha vers l'arrière dans l'étreinte du vieil homme.

Il sourit de triomphe, caressant ses cheveux.

« Ne faites pas ça », supplia Jori. « Ce n'est pas juste. Elle était tellement malheureuse quand Papa est mort, puis… ensuite, j'ai continué à la blesser. Elle ne sait pas ce qu'elle fait. »

« Elle le sait, dit le vieil homme d'un ton doucereux. Elle en sait suffisamment. D'un autre côté, vous… Vous en savez beaucoup trop. »

Sa main droite jaillit et un éclair sortit comme une flèche de ses doigts noueux. Les éclairs frappèrent Jori à la poitrine et elle fut projetée en arrière, hors du rebord et au-dessus du sol de la caverne. Elle était suspendue dans les airs, essayant de s'agripper sans rien atteindre, ses yeux agrandis par la terreur. Le vieil homme hurla de plaisir pendant qu'il la faisait pivoter et danser comme une marionnette brisée.

Ragar traversa le chemin de pierre en une course folle, suivant les déplacements de Jori, elle se mettait sous elle comme une ombre, tandis que Newt et Derek essayaient désespérément de l'atteindre. Les Horridins léchèrent la peur dans l'air, et les chacals aboyèrent en une frénésie sanguine.

Avec son autre main, le vieil homme continuait de caresser les cheveux de Lisa.

« Encore quelques instants », lui dit-il doucement, « et nous pourrons retourner à la maison. Tu n'auras jamais à ressentir une telle douleur. »

Jori hurla d'angoisse, s'accrochant aux dernières secondes de sa vie. Après tout, le vieil homme finirait par gagner. Ils disparaîtraient tous, et les seules choses qui resteraient seraient l'imagination tordue de Lisa et la douleur qui finirait par tuer leur mère. Elle fit une dernière tentative désespérée.

« Lisa », sanglota-t-elle. « Ne fais pas ceci, s'il te plaît. Je sais que Papa est parti, et je sais à quel point son départ t'a fait mal. Mais nous avons toujours Maman, nous sommes encore une famille, Lisa. » Des larmes coulaient sur son visage. « Mon Dieu, Lisa, s'il te plaît — ne détruis pas ce qui nous reste. »

Pendant un moment, Lisa demeura immobile, le fantôme du doute se glissant à nouveau sur son visage. Elle se retira légèrement de l'étreinte du vieil homme.

« Tu lui ferais vraiment du mal ? », murmura-t-elle.

« Quoi, ma chérie ? »

« Pourquoi ferais-tu mal à Jori ? »

« Parce que, mon amour, elle t'a traitée si mal. »

Lisa se tourna lentement vers lui. « Mais Papa n'aurait jamais fait de mal à aucune d'entre nous. » Et les écailles tombèrent de ses yeux.

Le vieil homme rugit et enfonça ses griffes dans son épaule. « C'est trop tard », siffla-t-il. Il laissa tomber sa main droite.

Les toiles craquantes qui retenaient Jori s'estompèrent. Elle plongea vers le sol.

Lisa bondit vers l'avant en hurlant le nom de Jori et en tendant brusquement les deux mains. Il y eut une explosion de lumière, un tonnerre d'ailes, et Angel jaillit dans la grotte.

La créature plana brièvement, les yeux étincelants, puis plongea vers le sol de la caverne. Se glissant sous Jori, elle l'attrapa sur son dos puissant. Elle tint fermement son cou et enfonça son visage dans les douces plumes entre ses ailes.

Derek et Newt poussèrent des cris de soulagement, sautant dans les airs et se donnant mutuellement des tapes dans le dos. Quelques instants plus tard, Angel atterrit près d'eux et Jori bondit dans leurs bras. À partir du rebord, elle entendit les hurlements furieux du vieil homme.

Son visage n'était maintenant à peine qu'un crâne, les yeux rouges brûlant dans la cavité encastrée. Il retenait Lisa, qui se battait contre lui, pâle et horrifiée. « Vous n'avez pas encore gagné », cria-t-il. « Elle est encore à moi ! »

Derek leva les yeux vers lui. « Pas pour longtemps » marmonna-t-il, et il jaillit vers le chemin de pierres.

« Non ! », cria Jori. « Derek, ne fais pas ça. »

Il regarda en arrière, juste pour un moment. « Je n'ai pas pu sauver Marisa », dit-il simplement. Puis il courut sur le rebord.

Le vieil homme siffla comme un rat enragé.

« Recule », gronda-t-il, ses mains rampant sur le cou de Lisa. « Recule tout de suite ou… »

Derek bondit.

Le vieil homme s'effondra comme si ses os s'étaient fracassés, mais l'une de ses mains essayait encore d'agripper Lisa. Elle se dégagea en tanguant, puis trébucha et commença à tomber vers le rebord. Derek attrapa l'extrémité de sa robe, la tirant pour la mettre en sécurité.

« Cours ! », cria-t-il, et Lisa descendit en flèche le rocher qui s'écroulait. Jori courut pour la rencontrer, levant les yeux vers l'arête, juste comme le vieil homme s'efforçait de se remettre sur pied et frappait Derek avec sa canne. Le garçon s'écroula sur le roc et glissa vers le sol, inconscient. Le vieil homme le frappa à deux autres reprises, la fureur émanant de sa mince silhouette, puis Derek s'évanouit dans l'obscurité de la grotte.

« Derek ! » hurla Jori, regardant fixement son corps brisé. Newt attrapa son bras.

« Toi et Lisa sortez d'ici, dit-il. Je m'occuperai de Derek. »

« Newt... »

« Vas-y ! »

Jori attrapa la main de Lisa et courut. Angel vola au-dessus d'elles et Ragar courut à leurs côtés, ses loups formant un bouclier vivant autour d'elles.

Maintenant, la voix du vieil homme se répercutait à travers toute la grotte, éperonnant les monstres de sa fureur ; « Poursuivez-les ! Vous tous ! Détruisez-les maintenant ou vous périrez tous ! »

Jori entendit un grondement soudain, suivi du cliquetis de centaines de pattes et de griffes. Du coin de l'œil, elle pouvait voir les corps blancs des araignées traverser les murs à toute vitesse, les chacals et les Horridins noircissant le sol derrière elles.

Elle traîna Lisa vers l'entrée de la grotte et elles s'élancèrent comme des flèches entre les dents de pierre. Les loups les entourèrent sur le sol aride d' un champ desséché recouvert de rochers. Puis elles figèrent, la bouche ouverte.

Une foule de loups et de licornes arrivèrent vers elles dans un bruit assourdissant, transformant la plaine sombre en une mer blanche et grise. Ragar et Angel frottèrent leur museau contre les filles, puis coururent dans le champ pour rejoindre leurs compagnons.

« D'où viennent-ils ? », murmura Lisa, regardant fixement la magnifique armée. Mais Jori, après avoir surveillé Ragar et Angel courir côte à côte dans un bruit assourdissant prêtes pour la bataille, avait soudainement compris. Elle serra la main de sa sœur.

« De nous. »

Les forces d'Avendar atteignirent la montagne juste au moment où les monstres furent crachés de son ouverture. Les deux factions s'arrêtèrent et se regardèrent fixement l'une l'autre, les griffes claquant dans l'air, les sabots piaffant sur le sol. Attendant quelque chose.

Jori comprit. Elle remarqua un énorme rocher et attira Lisa vers lui. Elles grimpèrent vers le sommet, se tenant à l'endroit où les légions de lumières et d'obscurité pouvaient les voir toutes les deux. Ragar et Angel les regardèrent, les yeux sauvages, et Jori attrapa la main de sa sœur ; levant leurs poings dans les airs.

« Pour Avendar ! », cria-t-elle.

Ragar hurla et Angel lança un cri de bataille. Ils bondirent vers les créatures de Maligor, et les deux armées se percutèrent sous la lumière rouge de la montagne.

La plaine sombre vibrait de haine. Les chacals entaillaient les gorges de leurs ennemis, pendant que les silhouettes blanches fantomatiques des licornes s'élevaient et tombaient sur les araignées, leurs sabots pointus coupant les pattes des créatures, leurs cornes perçant les abdomens délicats. Un liquide vert épais giclait des blessures et des douzaines d'araignées s'effondrèrent sur le sol, tressaillant en de violents spasmes de mort.

Puis, les Horridins se joignirent au combat, bondissant sur le dos des licornes, enfonçant leurs dents jaunes aiguisées sur leur peau. Les licornes hurlaient de douleur et des filets de sang tombaient en cascades sur leurs flancs blancs. Des licornes harponnèrent les créatures tordues sur les corps des autres licornes, les projetant haut dans les airs avec leurs cornes.

Mais c'était les loups qu'il était impossible d'arrêter, les loups qui se retrouvaient partout à la fois. Ils attaquaient dans un tourbillon de dents et de griffes, serrant les chacals de leurs mâchoires puissantes comme des étaux, les serrant jusqu'à ce que les os se brisent. Ils retirèrent les Horridins des dos de licornes, leur déchirèrent la gorge, arrachant la peau de leur corps. Chaque fois qu'un loup tombait, deux apparaissaient pour prendre sa place.

Mais les monstres continuaient à arriver, aussi mortels et impitoyables que les rivières noires.

Jori hurla dans la bataille, envoyant toute son énergie vers Ragar, vers son âme. Près d'elle, elle pouvait voir les yeux de Lisa fixés sur Angel, ses lèvres remuant silencieusement. Nous pouvons y arriver, pensa fièrement Jori. Même s'ils sont nombreux, nous sommes capables de les battre.

Mais alors, la montagne grogna et une forme tordue se matérialisa au-dessus d'eux. C'était le vieil homme, ses bras déployés en une bénédiction obscène, son corps secoué d'une extase malade.

« Croyez-vous vraiment que vous pouvez gagner ? », cria-t-il. « Que je vous laisserai détruire ce que j'ai mis toute une vie à créer ? » Sa main balaya vers le bas et Jori put voir les corps affaissés de Newt et de Derek étendus à ses pieds.

Une fureur froide l'envahit. « Vous, espèce de bâtard ! », hurla-t-elle. « Personne ne va détruire ce que *nous* avons, non plus ! »

Elle se tourna vers Lisa, et la vit trembler de rage. S'empoignant encore une fois les mains, elles regardèrent fixement le vieil homme. Un pouvoir chauffé à blanc brûlait en elles, flamboyait de leur peau, tourbillonnait pour se transformer en une colonne de lumière. Puis, la chose explosa en hurlant vers la créature enragée sur le flanc de la montagne.

Un bolide de lumière enveloppa le rebord. Ragar bondit de son centre chaud et Angel se matérialisa au-dessus d'elle. Le vieil homme trébucha sur le côté, en état de choc, titubant à l'extrémité de la falaise. Angel hurla en piaffant et Ragar bondit en venant de côté. Tourbillonnant vers elles sauvagement, le vieil homme tomba en arrière sur le roc. Le mince rebord s'effondra sous lui, et il tomba à pic, hurlant, sur le sol en dessous.

Au moment où son corps heurta la pierre, la montagne hurla, le feu explosant de chaque crevasse. Les créatures de l'armée sombre figèrent, stupéfaites. Puis, brisées et saignantes, elles commencèrent à se traîner vers l'abri de la grotte.

La peau noire de la montagne brûla et se flétrit, révélant son ossature blanche. D'énormes tronçons blancs comme de la craie craquèrent et s'effondrèrent sur les côtés, et la montagne entière commença à s'émietter. Tremblant de peur, les Horridins et les chacals laissèrent échapper des hurlements désespérés en même temps que le roc s'effondrait autour d'eux. Puis, toute la montagne s'écroula, disparaissant sous elle-même comme un cadavre pourri.

Quelques instants plus tard, il ne resta plus qu'une masse vaporeuse de roc rouge chaud, l'odeur de la mort, et les grognements des monstres mourants à l'intérieur. Puis, les eaux noires qui avaient un jour nourri les rivières débordèrent du centre des décombres, noyant ce qui restait de vivant.

Le calme soudain, les ruines fumantes, étaient aussi étranges que l'avait été le combat. Puis, horrifiée, Jori se rendit compte que les monstres n'avaient pas été les seuls à se faire emprisonner lorsque la montagne s'était effondrée.

« Non », murmura-t-elle. « S'il vous plaît, mon Dieu, non. »

L'air vibra derrière elle, brillant et chaud comme une étoile miniature. Elle se protégea les yeux jusqu'à ce que la lueur s'adoucisse. Lorsqu'elle regarda à nouveau, elle vit Newt penché, chancelant contre Ragar, et Derek se glissant faiblement du dos d'Angel.

Elle sanglota et se lança vers Newt.

« Tu *dois* cesser de faire des trucs comme ça ! »

« De quoi tu t'inquiétais ?, dit-il. Tu pensais que j'allais faire rater les choses maintenant ? »

Jori riait et pleurait en même temps, puis elle bondit vers Derek et le serra aussi dans ses bras.

« Ouais », dit-il. « Ce doit être un autre de ces cauchemars malades et tordus. »

Finalement, Jori se tourna vers sa sœur. Lisa tremblait. Elle essaya de parler, puis regarda au loin, honteuse.

Jori jeta ses bras autour du cou de Lisa, déversant tout son amour dans l'étreinte.

« Ça va, Lisa. Tout va bien maintenant. » Lisa s'accrocha à elle en sanglotant.

Jori entendit un léger grognement. Elle libéra Lisa, se tourna, et s'agenouilla, enfonçant son visage dans la fourrure épaisse de Ragar. « Merci », murmura-t-elle. « Merci de m'avoir aidée à passer à travers. » La louve roucoula doucement et lécha la joue de Jori. Près d'eux, Lisa reposa sa joue sur la face d'Angel, lui caressant doucement le dos.

« Je pensais que je vous avais lâchée », murmura-t-elle.

Elle secoua la tête. « C'est moi qui vous avais renvoyé. Même si vous étiez la meilleure partie de moi. »

Derek s'éclaircit la gorge. « Alors, c'est très beau ! », dit-il, repliant les bras. « C'est vraiment touchant. Mais ne croyez-vous pas que maintenant nous pourrions tout simplement sortir d'ici ? » Pendant que les autres riaient, il lissa ses cheveux et se dirigea vers Lisa. « Au fait, je suis Derek. Le type qui vous a sauvé la vie. »

« Salut, Derek », dit timidement Lisa, son visage devenant aussi rouge que les cheveux de Jori. « Et merci. ». Derek sourit. Puis il se retourna, leva un sourcil vers Newt, et hocha la tête vers Jori.

Qu'est-ce que c'est ? Pensa Jori. Mais Newt s'approcha d'elle et prit sa main, la soulevant de l'endroit où elle était encore agenouillée près de Ragar.

« Serrer une louve dans ses bras, c'est bien », dit-il.

« Mais peut-être que j'ai une meilleure idée. » Il l'embrassa alors, rapidement et doucement. Quand il releva la tête, ils souriaient tous les deux.

« Wow », dit-il. « La chose la plus effrayante que j'ai faite depuis que je suis arrivé ici. »

Jori rit doucement, puis se pencha vers lui. Mais non, pensa-t-elle à contrecoeur, ceci devrait attendre. Elle serra la main de Newt, puis se tourna vers Lisa. « Prête à retourner à la maison ? »

Les yeux de Lisa étincelèrent. « Aussitôt que nous le pouvons. »

« Permettez-moi de vous aider en ce moment », dit Angel, s'approchant d'eux et étendant ses ailes. « Montez. »

Pour la dernière fois, Jori grimpa sur le dos solide d'Angel. Elle regarda encore une fois les ruines de la montagne et la bande de licornes et de loups qui se tenaient là à l'observer.

« Merci », murmura-t-elle. « Merci à vous tous. »

Pendant un moment, il y eut un silence. Puis, l'un des loups commença à hurler. Le reste de la bande se joignit à lui, et les licornes ajoutèrent leur chœur de voix hautes et musicales. Les étranges voix les suivirent alors qu'Angel se lançait dans les airs et commençait à faire battre ses magnifiques ailes. Mais il y avait une voix que Jori n'avait pas entendue.

« Ragar », cria-t-elle, se tordant pour regarder la plaine sombre derrière eux. Puis, elle sourit en voyant la louve, une tache floue argentée, gardant le rythme avec Angel qui volait avec eux vers Avendar.

Le voyage de retour fut aussi rapide et aussi doux que devaient l'être les rêves. En bas, la tapisserie chatoyait ; une courtepointe brillante de couleur et de lumière.

Jori observa les paysages étincelants qui se déployaient. Mais alors elle devint immobile, prenant conscience que quelque chose de plus que la tapisserie se déroulait en bas. Elle voyait aussi les destins de ses victimes dans ce qui restait de leurs rêves.

Certains, comme le royaume du désert, étaient mortellement immobiles et passaient au gris — figés depuis l'instant même où ils s'étaient transformés en cauchemars. Les eaux des rivières mortes avaient presque effacé les autres. Mais, peut-être que le plus effrayant de tout, était que certains demeuraient vivement colorés, vibrants de vie.

Les autres aussi avaient maintenant cessé de parler.

« Et ceux qui sont encore là ? », demanda tranquillement Newt. « Qu'est-ce qui leur arrive ? »

Mais Jori ne pouvait supporter de songer à la réponse.

DIX-NEUF
UN DERNIER RÊVE

En serrant la main de Lisa, Jori s'éveilla dans la salle de tapisserie de la maison du vieil homme. Elle aperçut les garçons qui s'éveillaient aussi, chacun empoignant un segment du fil de rêve de Jori. Autour d'eux, les autres rêveurs dormaient toujours ; leur respiration rythmée, le seul son entendu, et la légère fluctuation de leur poitrine, le seul mouvement perçu. Jori sentit que Lisa retirait doucement sa main, puis elle observa sa sœur qui regardait fixement les formes immobiles. Un instant plus tard, Lisa se retourna et s'avança silencieusement vers la porte. Jori elle-même demeurait immobile, et Newt la regarda, d'un air interrogateur.

« Allez-y », dit-elle. « J'ai simplement besoin d'un petit peu plus de temps. »

Newt hocha la tête, et elle les écouta, lui, Derek et Lisa qui descendaient l'escalier. Elle les suivit quelques minutes plus tard, traversant l'entrée de la maison délabrée et l'air glacial du jardin mort. Les uns après les autres, ils se retournèrent pour regarder fixement la fine lueur dans la fenêtre du second étage. Lisa fut la première à détourner les yeux.

« Allons à la maison, Jori », dit-elle. « Je veux voir Maman. »

Jori sentit une poussée de pur bonheur, imaginant les cris qui éclateraient quand leur mère ouvrirait la porte d'entrée et les verrait. Elle hocha la tête et ils se dirigèrent tous vers la barrière brisée du jardin. Derek se positionna rapidement près de Lisa, et les deux marchèrent, légèrement en avant, leurs têtes penchées l'une vers l'autre. Jori sourit.

Elle sentit un museau froid toucher sa main.

« Hé, Goffer », dit-elle, se retournant et se penchant vers lui. « Je suis heureuse que tu aies attendu. Tu es prêt à venir à la maison, aussi ? » Elle le gratta derrière les oreilles, et il soupira de contentement.

Newt s'accroupit près d'elle. « D'accord », dit-il. « Maintenant, dis-moi pourquoi tu t'es attardée dans la salle de la tapisserie. »

Jori hésita, puis toucha la poche de son veston. Deux longues pattes sortirent pour se hisser près du rebord, puis rentrèrent rapidement à l'intérieur.

« J'ai pris un peu des cristaux aussi. Je ne peux tout simplement pas les laisser enfermés là, Newt. »

« Je n'imaginais pas que tu pouvais les laisser. » Il la regarda avec affection. « Donc, quand repartons-nous, fille insensée ? »

Il a dit « *nous* », pensa-t-elle, souriant.

« Aussitôt que nous saurons qui nous cherchons, je suppose. Et aussitôt que je pourrai arriver à le faire comprendre à ma mère. »

« Elle comprendra », dit-il. « Si elle te ressemble. »

Jori hocha la tête, puis elle jeta un regard vers l'allée. « Viens », dit-elle, prenant sa main. « Nous sommes mieux de les rattraper. Je ne suis pas certaine que je fasse confiance à Derek avec ma sœur. » Newt rit, et ils se dépêchèrent de rejoindre les autres. Mais les pensées de Jori dérivèrent bientôt vers la tapisserie, vers les rêveurs encore perdus dans ses fils brillants.

Nous vous trouverons, leur promit-elle. Nous vous trouverons, et nous vous ramènerons à la maison.

LA FIN

À propos de l'auteure

Bonnie Dobkin a grandi à Chicago et dans les environs. C'était une enfant effroyablement ordinaire et affreusement bien élevée. Pour compenser, elle essaie maintenant de fuir la normalité en se consacrant à l'écriture, en jouant dans des pièces musicales et, à une occasion, en faisait partie d'une émission de téléréalité. Lorsqu'elle vit dans le monde des adultes, Bonnie est directrice de la rédaction pour la langue maternelle chez un éditeur scolaire, mère de trois fils presque adultes, épouse d'un dentiste obsédé par Las Vegas, et l'objet d'amour d'un chien de quarante kilos, d'origine douteuse. La fileuse de rêves est son premier roman.

Rendez visite à Bonnie Dobkin sur Internet à
www.bonniedobkin.com